60歳からの哲学

いつまでも楽しく
生きるための教養

小川仁志
Hitoshi Ogawa

彩図社

はじめに——人生はいつも哲学次第

これまで私は、哲学者として社会に起こる様々な問題について論じてきました。そんな中感じるのですが、ここ数年、老いをテーマにした講演や原稿の依頼が急に増えたような気がします。それだけ日本では高齢化が進み、老いを単に問題視するのではなく、もっと違う形で捉え直すべきだという機運が高まっているのでしょう。

わざわざ哲学者という変わった存在に老いを語ってほしいというリクエストが増えているわけですから、老いをそのまま受け止めるのではなく、少なくとも異なる視点で捉え直そうという積極的な姿勢がうかがえます。

実際、古今東西の哲学者たちが、老いという人間にとって不可避の大問題について考察を加えてきました。その慧眼はとても鋭く、どれも現代日本の高齢社会に役立つものといえます。

考えてみれば、**老いは人類が誕生して以来、ずっと問題だった**のだと思います。年老いたらそれまでと同じことができなくなるのは当然ですから、きっと誰もが悩んできたのでしょう。それでもなんとか老いを克服することで、人類は楽しく生きてきたのです。

いまや人生１００年時代といわれる時代です。老いといっても何歳からを指すのか、見解が相当分かれると思います。ただ、本書ではあえて「60歳からの」という設定をしてみました。これは別に60歳以降老いが始まるとか、それまでは無関係だとかいいたいわけではありません。

現に、老いの概念は時代と共に変遷していますし、個人差もあります。とはいえ、今でも60歳といえば定年の準備をしたり、還暦を祝ったりと、多くの方が老いを意識し始めるのではないでしょうか。そこで、あえて60歳という年齢を象徴的に用いたわけです。

したがって、想定する読者は別に60歳でもそれ以上でもなく、むしろあらゆる大人のつもりで書きました。誰しもが老いを迎えるのですから、**予め準備をしておく必要がある**と思うのです。もちろんもうすでに60歳を超えた方にも読んでいただければと思います。

そしてそんな老いの延長線上にあるのが、**死**という最大のテーマです。死は、古代ローマのキケローが「死の可能性に年齢は関係ない」というように、年齢を問わず私たちの頭を悩ませる大問題だといえます。あるいは本書の最後の方で扱った現代フランスの哲学者ジャンケレヴィッチがいうように、「人間における最大の謎」なのです。

だからこそ哲学という切り口が重要になってくるのだと思います。誰もがどう捉えていいかわからないからこそ、根本的に考える、あるいは視点を変えて考える哲学が求められるのです。

老いも死も、いずれも一般的にはネガティブな出来事としてみなされています。しかし、どんなネガティブなことでも、見方を変えることはできます。そうすることで、とたんに意義が変わってくるのです。それを可能にするのが、哲学にほかなりません。だから私はいつもいうのです。**人生は哲学次第**だと。

そこで本書では、人間にとって不可避である老いにまつわる問題を、古今東西の哲学者の考えを参照しながら捉え直そうと試みました。

具体的には、「老い」「病」「人間関係」「人生」「死」という5章に分け、**老いをポジティブに捉えるためのヒント**をちりばめています。

なお、哲学というのは人によって異なるので、同じテーマについて論じていても、一見真逆に映るような考え方に出くわすこともあると思います。死生観などは特にそうでしょう。したがって、どの考え方が自分に合うのか、ぜひ比較しながら読んでいただけるといいかと思います。またその意味で、どの章からでも、あるいはどの哲学者の考えから読んでいただいても問題ありません。

本書を通じて皆さんが自身の老いに向き合い、自分にとってそれが何を意味するのかを考えるきっかけにしていただけると幸いです。

◆目次◆

はじめに　――人生はいつも哲学次第……2

第1章　老いの哲学

老いることは悪いことなのか？　――キケローの老年論……12
老いた人間は諦めるしかないのか？　――ボーヴォワールの実存主義……20
老いは本当に悲劇なのか？　――モンテーニュの達観……28

老年期にふさわしい頑張り方とは？
——ユングの精神分析 36
高齢者は「社会のお荷物」なのか？
——鷲田清一の老いの倫理 44

第2章 病の哲学

病気に抗う方法とは？
——アランの幸福論 54
理想的な食事とは何か？
——エピクロスの快楽主義 62
つい無理をしてしまうのはなぜか？
——メルロ＝ポンティの身体論 70
どうすれば心穏やかにいられるか？
——老子のタオの思想 78

病気になるのも意外と悪くない？——ニーチェの病気論……86

第3章　人間関係の哲学

家族に迷惑をかけるのは悪いことか？——和辻哲郎の家族倫理……96
仕事を続ける上で大事なことは？——ホッファーの労働論……104
他者とどうかかわっていけばいいか？——レヴィナスの他者論……112
孤独になったらどうすればいいか？——ショーペンハウアーの孤独のススメ……120
老いらくの恋を楽しんでもいいのか？——フロムの踏み込む愛……128

第4章　人生の哲学

何かしら趣味を持つべきか？
――ラッセルの幸福論……138
お金とどう向き合っていくべきか？
――ジンメルの貨幣の哲学……146
眠れない時はどうすればいいか？
――ヒルティの神の賜物……154
希望を持って生きるには？
――三木清の人生論……162
本当の生きがいとは何か？
――アリストテレスのエウダイモニア……170

第5章　死の哲学

死に対してどう向き合えばいいか？
――ジャンケレヴィッチの死の対話 …… 180
良き死を迎えるためには？
――デーケンの死生学 …… 188
なぜ人は自殺するのか？
――デュルケームの自殺論 …… 196
死への不安を乗り越えるには？
――ハイデガーの不安論 …… 204
予測不可能な死をどう考えるか？
――モランの詩的生活 …… 212
おわりに
――人生は60歳からが面白い …… 220

第1章

老いの哲学

老いることは悪いことなのか？

——キケローの老年論

「老い」と聞くとどんな印象を持つでしょうか。このように聞くとたいてい、暇だとか、身体が動かないとか、病気、つまらない、死ぬのを待つだけといったネガティブな言葉が返ってきます。はたして、老いとは本当にネガティブなものなのでしょうか？　この問いに正面から向き合ったのが、古代ローマの賢人マルクス・トゥッリウス・キケロー（前106～前43）でした。彼は、老いとは悪いものだという「誤解」を解こうとしたのです。

●「老い」は自然なこと

年を重ねていくにつれ、日常で「老い」を感じる場面は多くなると思います。そうして老いを実感した時、なんともいえない悲しさや寂しさを覚えることがあるでしょう。それは、**老いに対するネガティブなイメージ**から来るものです。

その一方で、生き生きと老年期を過ごしている人たちがいるのもたしかです。仕事や趣味に対して意欲的で、健康や自律意識が高く、新しい価値観を積極的に取り入れようとする高齢者を、アクティブ・シニアと呼ぶことがあります。

そうしたアクティブ・シニアは現代だけでなく、2000年以上前の古代にもいました。古代ローマの哲学者**キケロー**は、晩年に発表した著書『老年について』の中で、老年に対する誤解を解くべく、独自の議論を展開しています。この本はある老人が、若者二人に老年期の意義について語るという体裁をとった随筆的哲学書です。

キケローは、老いを次のように表現しています。

幸せな善き人生を送るための手だてを何ひとつ持たぬ者にとっては、一生はどこを取っても重いが、自分で自分の中から善きものを残らず探し出す人には、自然の掟がもたらすものは、一つとして災いと見えるわけがない。何より老年こそ、そういった種類のものなのだ。

（『老年について』岩波文庫、P12～13）

つまり、「人生の中で自然に起こることに関しては、善い部分に目を向けさえすれば、何も悪いことではなくなるし、老いはその典型だ」というわけです。

ただ、だからといって、衰えることがいいといっているのではありません。むしろキケローの真意は、**人は自然に変化しているだけであって、それはなんら問題ではない**という点にあります。いや、むしろ変化することは大事だとさえいっているように思えます。

●老いに関する四つの誤解

『老いについて』の中でキケローは、老いに関する四つの誤解を取り上げ、それに対して一つひとつ論駁《ろんばく》しています。わかりやすく表現すると、次の四つにまとめることができるでしょう。

①老いは仕事をできなくする
②老いは肉体を弱くする
③老いは快楽を奪い去る
④老いは死に近づく

いずれも一見納得してしまうものばかりですよね。まさに老いに関する偏見です。では、キケローはこれらに対してどのように論駁を試みているのか。

まず「①老いは仕事をできなくする」については、**老年の方が思慮・権威・見識を活かしてむしろ活躍できる**と言っています。無謀は若い盛りの、深謀は老いゆく世代の持ち前だと。

たしかにそうですよね。とりわけ物理的な時間に比例する経験は、若い人は年配の人に絶対にかないません。そしてそうした時間が醸成した思慮や見識は、センスや勢いみたいなものとはまた違う種類の能力ですから、時には仕事においても年配の人の力が求められるのは当然といえば当然です。よく青壮老のバランスなどといいますが、まさに老には老の良さがあるのです。大切なのは、本人も周囲もそのことをよく理解して、適材適所を実現できるかどうかだと思います。

「②老いは肉体を弱くする」についてもキケローは、**体力に応じた身体の使い方をしていればなんら問題ない**といっています。特に私が納得したのは、老人の話し方についての例です。老人は声を張り上げて、熱く語るのには向いていません。それこそ体力もいるでしょう。逆に気負うことなく穏やかに話すことによって、皆耳を傾けるのです。

おそらく、その人にあった力の使い方をした方が、最大の効果を発揮できるということだと思います。子どもには子どもの声があり、高齢者には高齢者の声がある。それはあらゆる身体的特徴に当てはまることだといえます。

「③老いは快楽を奪い去る」については、**老年の方がなんでも羽目を外すことなく適度に楽しめるし、精神的なものをより楽しめるようになる**といっています。求める快楽の種類が変わってくるのでしょう。たしかに肉体的な快楽はあまり求めなくなるかもしれません。でも、それは奪われたのではなく、シフトしただけだと思うのです。キケローのいうように、節度ある宴席や会話を楽しめるようになるわけです。だからキケローは、むしろ老いに感謝するとさえいいます。

「④老いは死に近づく」の死の接近については、**そもそも死の可能性に年齢は関係ない**し、若者よりも人生の終わりというゴールに近づいたからいいともいっています。死については誰しも平等に脅威にさらされているというのは、昨今の私たちの実感に合うものといえます。度重なる災害、そしてパンデミック。いずれも年齢を問わず、私たちの命を奪っていきます。高齢者の方がリスクが高いという言い方はできるかもしれませんが、だからといって若ければ安心というわけではないのです。そこで彼は、死は長い航海を終えて港に入るかのような喜びだとさえ表現するのです。

いかがでしょうか？　ここまで論駁されると、もはや老年期の方が素晴らしい時間であるかのように思えてきませんか？　私たちが老年に対して抱いている印象は偏見に満ちているのです。少なくとも老年という現象の一面しか見ていないのはたしかでしょう。

●老年の良さは老年にしかわからない

とはいえ、こうした高齢者についての論駁は、もしかしたら若い人たちには単なる負け惜しみにしか聞こえないかもしれません。そんな反論を見越してか、キケローは『老いについて』をこんな言葉で締めくくっています。

> **以上がわしが老年について語りたかったことである。願わくはお前たちがそこに至り、わしから聞いたことを身をもって経験し、確かめることができることを。**（前掲書、P78）

ここには、二人の若者が文字通り老年期まで生きながらえることを真に願うと同時に、

いくら老年期にある人間が老年のよさについて語ろうとも、それは実際に老年にさしかかった者にしかわからないというメッセージが込められているように思います。

これから老年期を迎えようとしている人たちにとっては、朗報といえるでしょう。そんなに幸福な時間が待っていて、それをもうすぐ味わえるというのですから。老年期の自分こそ、本当は自分史上最高の自分なのです。

それはいいすぎだと思われるかもしれませんが、決してそんなことはないはずです。知識も経験もようやくピークに達し、肉体さえ自分にふさわしい使い方をすれば武器になる。そんな状態が最高ではなくてなんなのでしょう？　高齢者は、通俗的なモノサシで自分を測り、卑下しながら生きるのではなく、もっと自信を持って生きるべきだと思います。

いや、それでもまだ足りない感じがします。単に自信を持つだけでなく、ワクワクして生きる必要があると思うのです。**人間は死ぬ間際まで、自分史上最高の自分になれます**。世間が貼るレッテルや病名に屈してはいけません。それもまた通俗的なモノサシにすぎないのですから。

私ももう10年もすれば老年期に差し掛かります。キケローの哲学を知って以来、その事実は不安を招来するものではなく、私にとって希望へと大きく変わりました。老年になってみないとわからない老年の良さ。それを実感することのできる日まで、日々頑張って生きたいと思います。

あ、それで思い出しましたが、一つ大事なことを書き忘れていました。キケローは老年期の良さを訴えると同時に、こうもいっていました。

しかし留意しておいて欲しいのは、わしがこの談話全体をとおして褒めているのは、青年期の基礎の上に打ち建てられた老年だということだ。（前掲書、P60）

つまり、「**老年期に喜びを得るためには、若いころに努力しておかなければならない**」ということです。いや、今何歳であろうと、まだ先がある限りは努力する余地が残っているはずです。今の努力を惜しまないようにしてください。きっと楽しい老後が待っているに違いありませんから……。

老いた人間は諦めるしかないのか？

――ボーヴォワールの実存主義

年老いていくと、身体の衰えにより自分のやりたいことが思うようにできなくなることがあります。これは生物学的な現象なので仕方のないものですが、若いころと同じように動けない自分を哀れに感じることもあるでしょう。では、老いた人間はやりたいことを諦めるしかないのでしょうか？　老後の生き方についてフランスの哲学者シモーヌ・ド・ボーヴォワール（1908～1986）は、むしろ老いをも積極的に楽しむべきだと主張しています。

●自分がやりたいことを続ける

ボーヴォワールは、フェミニズムの思想家としてよく知られています。彼女は、フェミニズムの古典ともいっていい『第二の性』で、「人は女に生まれるのではない、女になるのだ」と喝破しました。つまり、女性らしさというのは、生まれつきのものではなく、あくまで社会の要請だというわけです。

だから自分らしく生きるべきである。それが彼女がいいたかったことです。ボーヴォワール自身も女性であるがゆえに、哲学の道に進む際は周囲から反対されたといいます。それでも果敢に乗り越え、パートナーのサルトルと共に、実存主義と呼ばれる哲学を切り拓きました。実存主義とはまさに自らの力で人生や社会を切り拓いていく思想にほかなりません。

そのボーヴォワールが、自分も年老いていくにつれ、人間が避けて通ることのできない老いという問題について向き合うようになります。その精華といっていいのが、老いを徹底的に論じた『老い』という作品です。**ボーヴォワールはどこまでも人生を積極的に楽しもうとします**。その強さが彼女の魅力であり、私たちにとっての勇気になっているのだと思います。ただし、何もしなければやはり老いは哀れな時間になってしまいます。

老いがそれまでのわれわれの人生の哀れなパロディーでないようにするには、ただ一つの方法しかない、それはわれわれの人生に意義をあたえるような目的を追求しつづけることである。（『老い』人文書院、下巻P637）

そう、老いは往々にして人生の哀れなパロディーになりがちなのです。**若いころにできたことを、やれる範囲でやるしかなくなる**という意味です。同じ球技でも野球がゲートボールになり、ダンスを踊るのでもヒップホップダンスが社交ダンスになるように。それも本当にやりたいと思って始めるならいいですが、激しい運動ができなくなったから仕方なく乗り換えたというのではまさにパロディーでしょう。

若いころのパロディーにならないために必要なのは、人生に意義を与えるような目的を追求し続けることだといいます。それは情熱をもって物事に取り組むこと、すなわち**自分が本当にやりたいと思うことをずっと続ける**ということだと解釈できます。そうすれば、無理に高齢者向けのものに乗り換える必要はない。ボーヴォワールはそういいたいのだと思います。

彼女はまた、そうすることで世界が目的に満ちたものになるとまでいいます。たしかに何かに打ち込んでいる人は、年齢を感じさせませんし、何より目的意識をもって未来に向かって突き進んでいるように見えます。

その意味では、自分のできることに乗り換えざるをえなかった人も、世界を目的に満ちたものにさえすればいいのであって、その方法はいくつもあるといえます。たとえば、ゲートボールや社交ダンスに乗り換えたとしても、そこで積極的に大会優勝を目指すというのは、人生に意義を与えるような目的を追求することになるはずです。そうすれば若いころのパロディーにはならないと思うのです。

結局老いとは、抗うべきものなのかどうか。一見ボーヴォワールの説く生き方は、老いという現実に抗う実存主義の実践にも映ります。でも、そう単純ではありません。これはむしろ老いに抗わない生き方のススメなのです。

●欲望を諦めない

彼女が強調しているのは、老いを哀れむのではなく、楽しむことです。そのためには、老いに抗うというよりは、老いに合わせる方がいいのだと思います。それはボーヴォワールが性について論じているところからもよくわかります。高齢者の性については、あたかもタブーであるかのように扱われることが多いですが、ボーヴォワールはすでにこの問題について果敢に論じていました。

老人はしばしば欲望することを欲望する、なぜなら、彼は何ものによっても代えることのできない経験への郷愁《ノスタルジア》をもつからであり、彼の青年期あるいは壮年期が構築した色情的宇宙にいぜんとして惹かれているからである。（前掲書、下巻P377）

年をとっても人は恋愛を求め、性的関係を求めるものです。もっとも、肉体的、精神的に衰えもあります。それでも、**欲望することを忘れられない**のです。かつて欲望を求めた自分を求めている。ボーヴォワールはそういいます。欲望していた刺激的な経験を懐かしく感じて、かつて欲望を求めた自分を求めているということです。あの刺激的な経験と、それによって抱くに至った性の喜びは、あまりに貴重なものだからです。

年を取れば性と無縁の生活を送るべきかのように思いがちですが、決してそんなことはないのです。そもそもそれは不自然なことです。ボーヴォワールにいわせると、人はいつまでも性的なものを求めます。程度は変わるかもしれませんが。にもかかわらず、年を取ってみっともないとか、いやらしいといって、世間がその事実を否定しようとするのです。

それはもう年齢差別といってもいいのではないでしょうか。どうして年を取ったら性的関係を諦めなければならないのか。**性欲は人間の本質の一つ**です。その欲を諦めよと世間がいうのは、暴力的ですらあるように思います。

実際、ボーヴォワールのいう通り、人は欲望を捨てきれません。ただその時、欲望のままに振る舞うと、思い通りにいかない自分に落胆することになるでしょう。そうではなくて、**今の老いた自分に合わせることが必要**なのです。恋愛すること自体は何も悪くありません。問題はその仕方です。いかにすれば年相応の恋愛を楽しめるか。

少なくとも体力に任せたような恋愛は難しいでしょう。性的関係もそうです。むしろ精神的な側面に重点を置き、ゆっくりと愛せばいいのです。慌てることなく、身体の触れ合いを超えたものを感じる。そうして最後まで人生を大いに楽しむべきなのです。

●将来世代のために戦い抜く

このような話をすると、ボーヴォワールの説く実存主義が、あたかも享楽的で刹那的なものに思えるかもしれません。でも、決してそうではないのです。彼女は常に自分が死んだ後の未来のことを考えていました。

私は無限を想定することができないが、しかし有限性を受諾しない。私はそのなかに私の人生が刻みこまれているこの人類の冒険が無限につづくことを必要とする。（前掲書、下巻P487）

「人生は無限ではないけれども、だからといって自分が死んでしまったらすべてが終わるわけでもない」ということです。なぜなら、**人類は無限に存続するのであって、そこに自分の人生も何らかの影響を与えるはず**だからです。

ボーヴォワールは、若い人たちや未来を生きる人類がより良い時代を生きることに希望を馳せていました。そしてその希望こそが老いを受け入れるために必要だと説いたのです。ちなみに彼女に子どもはいませんでしたが、だからこそ、この言葉は誰にとっても普遍性を持つように思います。

人生とは冒険であり、誰もが生まれてから死ぬまでの時間を戦い抜こうと必死に生きます。老いはその戦いの一つであり、だからこそそれに耐えるためには希望がいるのです。それは自分の格闘が、必ず未来の誰かにとって良い結果をもたらすはずだという希望です。

現にボーヴォワールの格闘のおかげで、その後女性の地位は着実に向上しました。高齢者の置かれた立場もまた、彼女の老いに関する画期的な論考のおかげで、改善されようとしています。超高齢社会において、ボーヴォワールの『老い』は再び注目されています。

ボーヴォワールの実存主義は、自らの人生や、自分が生きる社会だけでなく、その先の時代をも変えていく潜在性をはらんでいたといっていいでしょう。私たち自身、実存主義的生き方をするということは、自分勝手に生きるということだけではなく、**自らの人生が常に次の世代に影響し、未来の社会をも変えていくきっかけになる**ということを意識する必要があると思います。

『老い』の文脈でいうなら、今の元気な高齢者が作り上げる文化は、命長き時代の生き方、福祉制度、社会のあり方全体を大きく変えるはずです。そう思って生きていると、ボーヴォワールのいうように張り合いが出てきます。自分の頑張りは将来世代のためになる。こんなうれしいことはないでしょう。年を取るにつれ社会のお荷物であるかのように扱われる高齢者が、実は老いを楽しんでいるだけで社会の役に立つというのですから。

老いは楽しみであり、希望である。そんなことをボーヴォワールの『老い』から学ぶことができるように思います。

老いは本当に悲劇なのか？

――モンテーニュの達観

老いにはどうしても悲しいイメージがつきまといます。身体も頭も衰えていき、できないことが増え、寿命に近づいていく……。とはいえ、老いは本当に悲劇なのでしょうか？いや、むしろ老いは長年生きてこられた証拠だともいえるはずです。そう訴えるのはフランスの哲学者ミシェル・ド・モンテーニュ（1533〜1592）です。彼は老いを恩恵と捉え、老いの時期こそ自分の人生を楽しむべきだと主張しています。

●老いるまで生きられたことに感謝する

人生には様々なことが起こります。その中には当然、事故や病気のような不幸なことも含まれますから、順風満帆な人生などないでしょう。忘却という人間の能力のおかげで、時間が経てばすべては色褪せていき、いいことは懐かしく、悪いことはそれほど悪いことではなくなっていきます。だから本当は波乱万丈な人生であったとしても、総じて順風満帆だったように思えるのでしょう。

人生の中には、もちろん死に至りうる出来事もたくさんあるわけです。病気に関していうなら、多くの人が最期はなんらかの病気にかかって死にます。

だから**モンテーニュ**は、**老いることができたということは、病気に打ち勝ちそこまで生きることができた証拠**だと逆説的な発想をしているのです。彼はこんなふうに表現しています。

> **極度の老齢がもたらす体力の衰弱によって死ぬことを期待し、そのような目標をわれわれの生命の持続にたいして提示するのは、なんという常軌をはずれた考えだろう。それはあらゆる死の中でももっともまれな、実際に起こることのもっともすくない種別の死なのだから。**
>
> （『エセー』中央クラシックス、1巻P163）

「病気にかからず、ただ純粋に老衰によって死ぬなどというのは、むしろ奇跡ではないか」

というわけです。そう考えると、**老いもまた感謝すべき状態である**ということになります。老いたことを嘆くのではなく、老いるまで生きられたことに感謝する。そうすると、もっと一日一日が大切に思えてくるに違いありません。

いわばこれは**恩恵としての老い**と呼べるのではないでしょうか。とかく否定的に捉えられる老い、でもそれは見方を変えると恩恵にさえなりうるということです。誰しも今まで生きてきた中で、きっと何度も危機があったのではないでしょうか。物理的危機、精神的危機、あるいはその両方が同時に訪れたことも……。そう考えると、半世紀生きることができただけでも、すごいことです。

●死を受け入れるために学ぶ

ただ、普段はなかなかそんなふうには思えませんよね。なぜなら、私たちは生きることができた時間よりも、これから生きることができる時間ばかりに目を向けるからです。砂時計に喩えるなら、落ちた砂の多さではなく、残り少なくなる砂ばかりに目を向けてしまっている状態です。それでは悲観的になるのも無理ありません。

人はある程度の年齢になれば、砂時計の上の方ではなく、下の方に目を向けるようトレーニングする必要があるのかもしれません。現にモンテーニュは、哲学することでそのためのトレーニングができると説いています。

古代ギリシアの時代から、死は人間にとって最大の謎であり、苦しみの原因でもあります。だから哲学もまた死を受け入れるために存在すると考えられてきました。人生とは何か、死とは何かということを吟味することで初めて、私たちは達観することが可能になるのです。

哲学の持つこうした意義に気づくと、この抽象的で無味乾燥に見える学問が、途端に具体的で生き生きとした営みに思えてこないでしょうか。

私の場合は、若いころ人生の危機の時期に哲学に出逢ったので、最初から生き生きとした学問でした。ところが、多くの人にとってはあくまで学問なので、その本来の意義が伝わらないままますれ違ってしまっているのです。残念なことです。

いや、本当は哲学に限らず、**人が死ぬまで何かを勉強することの意義は、人生や死について考えるためにある**といっていいでしょう。モンテーニュもまさに著書の中でそういっています。

そして、その老衰の時期にそのような勉学をしてなんになるのかとひとからたずねられた人が、「つよくすぐれた人間となって、より心安らかにこの世からたち去っていくためにだ」と答えたのと同じ答ができるようにしよう。（前掲書、1巻P106）

物事にはタイミングがある。それがモンテーニュの持論です。したがって、ただ闇雲にいつでもなんでも学べばいいとは考えないのです。むしろ、老衰の時期に新しい学問の初歩をやるのは間違っているとさえいいます。個人的にはそれも自由だと思いますが、モンテーニュは違うのです。

彼にいわせると、**老衰の時期に学ぶべきなのは、死を受け入れるための学問**なのです。たしかに、年を取ってくると、哲学や宗教の本を読み出す人が増えます。やはり人生というものを吟味し、死を受け入れようとするからでしょう。

本書もそういうニーズに応えるためのものです。私自身、若いころよりも、人生について考える時間が長くなっているような気がします。死の受け入れ方を含めて。誰もがこうした問題に頭を悩ませ、長い時間をかけようとするのは、おそらく唯一絶対の答えがないからでしょう。

●残りの人生を自分のために使う

学問に限らず、年を取れば取るほど、私たちの行動はすべて死を受け入れるための準備へと収束していくのだと思います。いわゆる終活が典型です。

だからといって人生をそれ以上楽しんではいけないということではありません。むしろ逆なのです。**残された時間が少ないからこそ、やるべきことに集中した方がいい**ということです。これについてもモンテーニュは、いいアドバイスをしてくれています。

> **他人のためにわれわれは十分に生きた。すくなくともこれからは、生涯のこの残りの部分をわれわれ自身のために生きよう。われわれのかずかずの考えや意図を、われわれのほうへ、われわれの気楽な仕方のほうへひき寄せよう。**（前掲書、3巻P146〜147）

長く生きたということは、それだけ他者のために貢献してきたことを意味します。家族のため、会社のため、社会のため……。だとするならば、**年を取った人はもう残りの人生は自分のために使うべき**だというわけです。もちろん人に迷惑をかけていいとか、自分勝手に生きよというわけではないでしょう。でも、少なくとも他者中心ではなく、自分中心になっていいということです。

これはもっともな主張だと思います。今は生涯現役という一見前向きな掛け声のもとに、死ぬまで働かされそうな勢いです。その証拠に、定年年齢は延び、年金をもらえる時期もどんどん先延ばしされています。

もちろんバリバリ働きたい人はそうすればいいですし、社会貢献も必要でしょう。でも、それが社会的な圧力となって、老後を楽しめない、あるいは自分のために時間やお金、エネルギーを注げないというのは問題だと思うのです。

私たちは助け合わなければなりません。それは世代間においても当てはまります。高齢者も単なる社会のお荷物にならないようにすべきという発想はわかりますが、頑張った人が休める、ねぎらいを受けるというのもまた、ある種の助け合いなのではないでしょうか。

何歳になればその恩恵を被れるかは議論があると思いますが、いつまでも自由に働ける社会を標榜するなら、逆にいつでも引退できる仕組みを作った方がバランスが取れているように感じます。

引退というのは、本来社会の概念ではありません。個人的な概念であるはずなのです。自分が十分だと思えば引退すればいいのです。税収がいるとか、組織が成り立たないなどというのは、二義的な理由です。最優先すべきは個人の人生でしょう。

つまりここでいう引退とは、あくまで**他人のために生きることからの引退**です。そこから自分のために生きる人生が始まるのです。そう思うと、老いることも悪くないように思えてきます。どんどん自分らしく生きられる時間に近づいていくわけですから。

もしかしたら、**老いとは理想の生き方を追求する過程**なのかもしれません。それは人生いろいろなことを経験してきて初めてわかるものです。老いるのではなく、理想を追う。その意味では「追い」とでも表現したらいいでしょうか。モンテーニュ的達観は、私たちをそんな境地にまで連れて行ってくれます。

老年期にふさわしい頑張り方とは？

――ユングの精神分析

老いを経験して若者についていけなくなったり、昔と同じようなことができなくなったりして、納得がいかず悔しい思いをしたことはないでしょうか。そうした時、「若者には負けない！」と多少無理をしてでも頑張るべきでしょうか？　そうではないと主張するのが、スイスの思想家カール・グスタフ・ユング（1875〜1961）です。彼は、老年期には無理をせず、今の自分に合わせて、何に価値を置くべきか考え直す必要があると説きました。

●「人生の午後」は、肩の力を抜いておおらかに

人はいつ老いに気づくのでしょうか。多くの人は自分では気づかないうちに老いていき、ある日そのことを指摘されてふと気づくという感じなのではないでしょうか。

たとえば、今までと同じようにやっていたことができなくなり、それを年齢のせいだと

いわれたような場合です。あるいは、定年になって、強制的に仕事を変えざるを得なくなったような場合もそうでしょう。

でもそうした状況は、自分が老いたという事実を、社会から客観的に突きつけられたも同然なのです。老いた自分を受け入れられないまま第二の職場で働こうとしても、若いころと同じようにはいきません。仕事に限らず、60代、70代となってくるにつれ、趣味も日常生活さえも、昔と同じようにやるということが困難になっていきます。それでも気持ちは変わらないので、ただ単に目の前の困難を恨めしく思うしかないのです。

ではどうすればいいのか？　仕事がうまくいかないことや、日常生活に感じる困難に甘んじるよりほかないのでしょうか？　決してそんなことはありません。心理学や精神分析を専門とする**ユング**は、『無意識の心理』の中でこういっています。

> **人生の午後は、人生の午前に劣らず意味深い。ただ人生の午後の意味と意図とは、人生の午前のそれとは全く異なるものなのである。**
>
> （『無意識の心理　新装版』人文書院、P122）

「人生の午前」とは若いころのことであり、「人生の午後」とは老いの比喩です。そして**人生の午後もまた午前と変わらず意味深い**といいます。たしかに午後の方が午前より面白くないとかダメだとかいう人はいないでしょう。一日の午前午後に優劣がないように。

しかし、意味や意図、つまり**やるべきことは変わってくる**のです。ユングによると、人生には二つの目的があるといいます。第一の目的は「自然目的」といって、結婚し、子どもを産み育て、仕事をして、地位を築くというものです。それに対して第二の目的は「文化目的」といって、いわばもっと大きな目的のためにおおらかに生きるということです。

そして**午前は自然目的のために生き、午後は文化目的のために生きるのがいい**というわけです。これはなにも、年を取ったら仕事をするなとか、社会的地位を築くなというのではありません。仕事をしたり、社会的地位を築いたりするにしても、それ自体を目的にしてはいけないということです。

目的を達成すること自体が重要になると、必死になってやるでしょうし、無理もすると思います。しかし、それ自体が目的でなくなれば、もっと肩の力を抜いてやれるはずです。大事なことは、そんなふうに**肩の力を抜けるかどうか**なのです。でないと、身体がついてこなかったり、周囲の人たちとぶつかったりして、うまくいきません。いつまでも若いころと同じやり方ではいけないのです。

●何に価値を置くべきか考え直す

まだまだ若い者には負けない。そんなふうにいう年配の方はたくさんいます。それはもちろん素晴らしいことですが、その「負けない」の意味は、若者と同じことを同じようにやって勝つというのではいけないように思います。

同じことをやるにしても、違うやり方をして、全体を最適化する。これが本当の「負けない」ということではないでしょうか。無理して同じやり方で競うというのは、全体にマイナスをもたらしかねません。

年配の人が、若い人の足を引っ張ったり、ポストを譲らないことで彼らの成長や活躍の機会を奪ったり、その結果、組織全体のパフォーマンスが最適なものにならないなどというのは、よく聞く話です。

これでは誰も得をしません。そんな悲劇を起こさないためにも、目的の変化を意識する必要があるのです。ユングはそのことを次のように表現しています。

午前から午後へ移行するとは、以前に価値ありと考えられていたものの価値の値踏みのし直しということである。若い頃の諸々の理想の反対物の価値を悟るということがぜひとも必要になってくるのだ。（前掲書、P123）

ユングのいう「価値の値踏みのし直し」とは、「**何にどんな価値があるのか、何に価値を置くべきなのか、考え直す**」ということです。しかも、若いころにいいと思ったものの反対のものに価値を見出せといいます。たしかに若いころはお金や出世が大事だったかもしれません。多少無理をしてでも遮二無二働くというのは、そういうことなのだと思います。

私もがむしゃらに突っ走ってきたくちです。お金や出世のためもありましたが、何より自分の限界に挑戦したかったのです。よく売れっ子作家が、寝る間もなかったと述懐しているのを聞きますが、私もそれにならって睡眠時間を削って執筆してきました。ところが、50を過ぎたころ、突然身体を壊してしまったのです。まさに価値の値踏みのし直しを迫られました。

私の場合は、50歳というまだ比較的若い段階で、かつそれほど重病でもなかったので、取り返しがつかなくなる前に気づくことができました。いいタイミングで「値踏みのし直し」をする機会が与えられたということでしょう。まだ運が良かったのだと思います。

そう、お金や出世の反対のものといえば、やはり**健康**でしょう。年を取ってくるとちょっとした無理が大きく響くので、健康の方が重要になってきます。多少睡眠不足が続いても、40代くらいまでならなんとかなります。私もそうでした。でも、50代だとそうやってダメージを受けるのです。60代だともっと大きなダメージを受けるでしょう。70代だとこういう無理は致命的なものになるに違いありません。

もちろん、年を取ってもお金は必要です。ただ、お金を持って死ねるわけではありませんから、生きている間に使うお金のことだけ考えればいいのです。身体を削ってまでお金を稼ぐというのは、あまりにリスキーです。年を取るとそれは身体ではなく、命そのものを削っていることになってしまいます。

●今の自分を肯定し、次世代を育てる

そう考えると、仕事をする意義そのものを変える必要がありそうです。たとえば、一度定年を迎えたり、第二第三の職場で働くような場合は、自分が出世することよりも、**人を**

育てることに価値を置くというのはどうでしょうか。それも自分のやってきたことを形にする過程であるように思うのです。

自分が得た知識やスキルを次の世代に伝えていくというのは、ある意味で自分の成長の一部と捉えることができます。そう考えれば、価値の値踏みのし直しとはいえ、まったく別のことをやるわけではないのです。これはユングも釘を刺しているところです。

肝心なのは、反対物への転化ではないのだ。その反対物を承認しながら、以前の諸価値を保持することなのである。（前掲書、P125）

「ただ反対のものを良しとするのではなく、これまでのものも両方保て」ということです。ユングは何も、正反対のものを大事にしろとか、自分のやってきたことを否定しろとかいう二者択一を迫っているわけではないのです。むしろ**自分のやってきたことを肯定し、その延長線上に別の形での遺産を築きあげる**イメージです。次世代を育てるというのは、まさに遺産を残すことですから。

狭い意味での自分の業績だけにこだわると、晩節を汚すことにもなりかねません。ユングのいうように、以前の価値を保持しつつ、反対物を承認する。それが理想なのです。これは仕事だけでなく、生き方全般に当てはまるものだと思います。

もう無理ができない自分を受け入れる。でも、それは今までの自分のペースを変えたり、やり方を変えることであって、自分の本質まで変えることではないはずです。老いは卑屈になることでも、自分を否定することでもありません。あくまで「自分」に合わせることなのです。この場合の自分とは、もうそこにはいなくなってしまった幻の自分ではなく、今の自分です。

今の自分に一番合った、自分が一番心地よいと思える自分。そんな自分に合わせて生きる時初めて、人は老いを楽しみ、最高のパフォーマンスを発揮できるのではないでしょうか。

高齢者は「社会のお荷物」なのか？

——鷲田清一の老いの倫理

今や日本人の約３割が65歳以上の高齢者といわれる一方、日本の総人口は減少し続け、高齢者を支える現役世代の負担は大きくなるばかりです。そのような状況で、「働くことをやめた高齢者は社会の役に立たないお荷物だ」と酷いことをいう人もいます。そうした言説に反対するのが、日本の哲学者鷲田清一《わしだきよかず》（１９４９〜）です。老いを特別視せず、「できる」を目指さない社会を理想とする鷲田の「老いの倫理」とはどのようなものなのでしょうか。

●老いは時間の経過ではなく、精神の成熟

これまで個人的な老いについて論じてきましたが、実は老いは社会問題だといいきるのが、哲学者**鷲田清一**の老いの倫理です。鷲田は今私たちが抱えている問題を、「老いの空白」と表現します。それは老いを無力、依存、衰えといった言葉でしか捉えることができず、

社会問題にしてしまっている現実のことです。

つまり、一般に空白地帯という言葉が、存在すべきものが存在しない状態を指すように、老いがもはや手の付けられない空白地帯であるかのような扱いを受けているのです。とりわけ現代の私たちは、口を開けば「高齢化をなんとかしなければ」と愚痴り始めますが、それは手をこまねいている証拠です。

こうした状況が認知されてから、もう何十年も経つというのに、一向に事態は改善されていません。問題はどんどん大きくなり、空白地帯はますます広がっています。はたしてこのまま手をこまねいていていいのかどうか？　そこで私たちがやるべきなのは、問題としての高齢化を食い止めることではなく、むしろ**老いの概念自体を改める**ことではないか。

鷲田はそう問題提起しているのです。だから彼はこう問いかけます。

〈老い〉を〈いのち〉のなかに閉じ込めずに、〈いのち〉と二重になっているものとしてとらえること、そういう意味で〈いのち〉の狭い論理を広げることが必要なのではないか。（『老いの空白』岩波現代文庫、P79）

つまり、「老いを命ある人生の最後の部分などと狭く捉えるのではなく、そもそも命と並列的に存在するような、もっと別のものとして捉える必要がある」ということなのでしょう。老いの概念自体を改めるということは、老いへとつながる人間の一生を捉え直すことでもあります。**誕生から老いを経て死に至るまでの直線的な時間理解そのものを考え直す**必要があるのです。私たちは常識に縛られています。だから問題を解決するといっても、あくまでその常識を前提に、そのうえで小手先の対策を練ることしかできません。

しかし、問題の根が深い場合、それでは太刀打ちできません。何をしても焼け石に水なのです。そこで大胆な発想の転換が求められます。鷲田が試みる老いの概念の転換は、まさにそんな大胆な発想の転換だといっていいでしょう。

それは〈いのち〉の中に老いを閉じ込めるのではなく、むしろその外に老いを位置づけることを意味します。**老いを時間の概念から解き放つ**といってもいいでしょう。だから鷲田は、老いは人生のいつの時期にも訪れうるといいます。いくつであろうと、精神的に老いることがあるのです。

つまり、老いは年齢ではなく、一つの生き方に過ぎないというわけです。そうすると、老いは必ずしも悪いものではなくなってくるでしょう。考え方によっては、むしろ成熟としてみなすことができるので、憧れ、味わうことさえ可能になるのではないでしょうか。

●「できる」を目指さない

こうした老いの捉え方は、人間に貼られたその他の否定的なレッテルにも疑問の目を向けるきっかけを与えてくれます。実際、鷲田は老いと幼さを並列的に捉えたり、老いと障害を同じ問題系列として論じています。これらはいずれも、生産至上主義の中でノーマルでないとされてしまった生き方です。これらすべてを救い出すためには、その**ノーマルの転換**こそが求められます。鷲田はそれを**「できる」ことと「できない」こと**という用語を使って説明しています。

> **「できる」ことの埋め合わせるべき欠如と考えるのではなく、「できない」ことそのことの意味を考え、そこからあえていえば、できなくなることでできるようになること、というか「できる」ことをめざさない生のあり方をこそ、考えねばならないであろう。**（前掲書、P103）

生産至上主義の世の中では、できることが求められます。そしてできないというのは、単に欠如を意味するわけです。そうすると、この生産中心の社会においてできないことが多い高齢者などは、どうしても存在意義が薄れてしまいます。それが老いの空白を生み出しているのです。

正直私にとっても、老後の心配＝できなくなることの心配にほかなりませんでした。そうして、老いていく自分をさげすんでいたように思います。

でもそれは一面的な見方に過ぎないのです。すべてを「できる」から捉える必要はありません。できるとできないは、ある種対等な価値を有しているのですから。決して万能ではない人間に、できないことがあるのは当然です。

だとするならば、むしろできないことを当たり前と捉え、**できるを目指さない生や社会があってもいい**ではないかということになります。人間の存在意義は、生産だけではないはずです。にもかかわらず、生産性が人間の尺度であるかのように喧伝され、それが低い人間は、あたかも社会のお荷物であるかのように扱われているのです。

●老いを特別視しない社会

そんな馬鹿げた状況を改めるには、尺度そのものを変えねばなりません。鷲田はその変化について、**「強さ」から「弱さ」へ**と社会構成の軸を移し換えるとも表現しています。生産性だけでなく、効率性、有用性、合理性といったマッチョな指標群を破壊し、遊び、愛、ケア、無為といった言葉が大手を振って歩けるような社会を構築しようというのです。

無為さえ称揚しようとするこの態度は、鷲田も自認するようにラディカルでさえありす。そこで、彼はフランスの哲学者ジャン・リュック・ナンシーの「無為の共同体」を理想とし、その一つのモデルとして北海道浦河町《うらかわちょう》のグループホーム「べてるの家」を紹介しています。この施設では精神障害を抱えた人たちが共同生活を送っているのですが、その様子を見ると、鷲田の思い描くラディカルな社会像が一気に具体性を帯びてきます。

ナンシーの**無為の共同体は、予め目的や規則がある中に人をはめ込むのではなく、特異な人たちがそこに集い、コミュニケーションすることで成り立っている**存在です。それを具現化したような共同体が、「べてるの家」にほかならないのです。

何しろその「べてるの家」では、作業所であるにもかかわらずサボることは悪いことではなく、病院であるにもかかわらず病気を治すことすら求められていません。そこで求められているのは、コミュニケーションだけなのです。「三度の飯よりミーティング」というスローガンがそれを物語っています。

「べてるの家」で行われるコミュニケーションは、入居者たちの存在意義であり、「べてるの家」という一つの共同体を成立させている重要な要素です。だからこそ入居者たちは、ミーティングで言いたいことを言い、自分をさらけ出し、コミュニケーションを楽しんでいます。そこは、何も生み出していない人同士が互いを受け入れようとする場所なのです。

こうした生き方が社会全体に共有され、**誰もが生産の呪縛から逃れることができた時、ようやく老いは問題ではなくなる**のでしょう。そして誰もが老いを豊かな時間として享受することができるようになるのだと思います。鷲田もまたそんな理想を描いています。


頑張りのあとの休息でも、退役したがゆえの気楽さでもなくて、しなければならないとおもわれてきたことをしないことがこの社会を変えることにつながるようなひとつの超絶として、〈老い〉に浸るということができないものか。（前掲書、P194）

実は老いとはそんなに特別なものではないのかもしれません。誰もが人生の段階や時間を気にせずに、ただ日常を過ごせるようにする。そうしたことこそが求められているように思うのです。

老いを特別なものとして定義しようとした瞬間、たとえそれがいかに肯定的なニュアンスを持つものであったとしても、そこには純粋に老いに浸ることを許さない不穏な空気が漂い始めます。逆にいうと、そうやって**老いを特別視することをやめる**ことさえできれば、老いは問題であるどころか、社会が生み出すあらゆる差別を乗り越える契機として、この長寿社会に福音をもたらす鐘となるに違いありません。

だからこそ、21世紀、この長寿社会に求められる倫理は、このような**老いの倫理**でなければならないのです。当たり前のことですが、最大の問題を解決することができれば、世の中をがらっと変えることが可能になります。老いの倫理はそのためのソリューションにほかなりません。

第2章

病の哲学

病気に抗う方法とは？
——アランの幸福論

生きていくうえで、あらゆる病気を避けるのは無理なことです。それに年老いていけば、病気を抱えることも多くなるでしょう。病気になれば身体の痛みやだるさを感じるだけでなく、行動を制限され、治療に気を使わなければいけなくなります。なんとか病気に抗う方法はないのでしょうか？　フランスの哲学者アラン（1868〜1951）いわく、それは「上機嫌でいること」です。気の持ちようで、病気を防いだり、苦痛を和らげたりできるというのです。彼の著書『幸福論』から、病を遠ざけるすべを学んでいきましょう。

●上機嫌が病を退ける

病気は基本的にネガティブなものです。それに、病気は誰もがなるものです。もちろん、病気には軽いものから重いものまで、罹患する期間も短かったり長かったりと様々あります。また治ったと思っても、何度も繰り返し病気になることだってあります。そういう違いはあっても、誰もが病気になってしまうのはなぜでしょうか？

それは人間だからです。つまり、繊細な身体を持った存在だからです。もしスーパーマンのように完璧な身体だったら、病気のつけ入る隙はないかもしれません。でも、人間は違います。内臓も筋肉も、ちょっとしたことで痛くなったり、菌に侵されたりするのです。

しかも、多くの場合、病気の原因は自分の外部にあるものではありません。とりわけ**アラン**はそう考えています。

病気の最大の原因は何なのか？　それは恐れである。アランはそう明快に答えています。

不安と恐怖とを生理的に、詳細に研究すれば、不安も恐怖も病気であって、しかも他のいろいろな病気に加わり、さらに病気の進行をはやめるのもわかるだろう。（『幸福論』岩波文庫、P30）

つまり「**不安や恐怖が病気を引き起こしている**」というのです。受験生が突然腹痛にみまわれるのはその証拠だといいます。また、テバイドの隠者と呼ばれる初期キリスト教徒たちは、死を望むことで結果的に長寿の人生を送ったといいます。何の恐れもなければ病気にならないので、死を恐れないことで、かえって健康でいられたということです。

病気の方が恐れをなして逃げて行ったのかもしれません。これは冗談ではなく、よく医者がいう言葉です。危篤状態になったような時、医者はこういいます。「最後はご本人の気力です」と。これは気持ちが病を退けることの証ではないでしょうか。

だから**病気になりたくなければ、何事も恐れないどころか、もっと積極的に上機嫌でいればいい**とアランはいいます。彼はそれを治療法と呼んでいます（正確には予防法なのでしょうが）。さすがは不撓不屈の楽観主義者を自認するだけあって、医学に関する考え方も徹底しています。

でも、これもまた理にかなったものではあります。普通なら腹の立ちそうな場面でも、上機嫌になることでイライラせずに済みます。それが病気を遠ざけるというのです。ストレスは万病の元といいますから、案外事実なのかもしれません。そういえば、笑いが長寿に影響するという話をよく耳にします。

アランはこんな喩えもしています。内臓をマッサージできればいいが、それは無理だろうと。でも、喜びは内臓のマッサージみたいなものだというのです。しかもそれはどんな医者にもできないマッサージだと。たしかに医者は喜ばせるのが仕事ではなく、むしろ不安を突きつけてくる一面もあります。病院に行くのがつらいというのは、私たちが病院や医者を不安と結び付けてしまう想像力が災いしているのだと思います。

●気持ちの切り替えが重要

そもそもアランにいわせると、病気になって苦しむのには、現実の痛みや苦しみだけではなく、**想像上の苦痛**がそこに加わっているからなのです。だからアランはこうアドバイスします。

よく注意しないと、一生を台なしにしかねない。全力をもって、真の叡知をはたらかせて、実際の現在を考えねばならない。悲劇を演じようとしないで。（前掲書、P37）

つまり、「悲劇を演じるように想像を膨らませて苦痛を感じるのではなく、しっかり落ち着いて現実の状況だけを考えなさい」ということでしょう。**いたずらに想像を膨らませるのではなく、冷静になるべき**だと。冷静になることで、人はリラックスできます。深呼吸をするのはそうした理由からでしょう。アランによると、**人は冷静になることで身体の力を抜くことができ、自然に正常な状態を取り戻そうとする**のです。それが病気を悪化させないコツです。仮に病気になったとしても、過剰に反応しないことです。

例えばアランは、医者さながらにこんなアドバイスをします。風邪をひいても無理に咳をしてはいけないと。その通りですよね。大げさに咳をすることで風邪の症状を悪化させた経験は、誰しも持っているのではないでしょうか。

このように、**恐れや想像が病気を生み、悪化させている**ということです。彼が提唱する最良の治療法は、すべて魚《うお》の目だと思えというものです。たとえ胃や肝臓に痛みを感じたとしても。実際魚の目はかなり痛いわけですが、そんな皮膚の一部の痛みが重要な臓器の病気と同じ痛みをもたらすというのは、逆に勇気づけられるだろうというわけです。

アランの健康法、あるいは病気に対する治療法は、主に気持ちの切り替えによって行うものだということがよくわかったかと思います。でも、だからといって物理的に何をしても意味がないわけではありません。彼はプラトンが唱える二大療法について論じています。なんとそれは、**体操と音楽**だそうです。

筋肉の規則正しい運動は、たしかに最良の治療法となる。音楽がダンスの先生の姿をして現われるのはここなのだ。この先生は、安物の小さなヴァイオリンを使って、内臓の血液循環を最良の状態に調整してくれる。（前掲書、P287）

アランらしい素敵な表現ですね。もちろん、実際に病気になれば、薬も飲むし、手術をすることもあるでしょう。でも、アランの病気に関する哲学を思い起こせば、少なくとも前向きになれるのではないでしょうか。同じ治療を受けるのにも、暗い気持ちでいては不幸になる一方です。それに対して、こんなの魚の目だとか、上機嫌でいれば吹き飛ぶと思っていれば、明るい気持ちになれるように思うのです。

アランが病気に関して綴ったいくつかのエッセイが、後に『幸福論』としてまとめられたのにはうなずけます。病気を暗く捉えると不幸になるけれども、明るく捉えれば幸福につながるのです。

●心だけはなんとかなる

どんな病気も身体のどこかに不調をきたしているのが原因なのかもしれませんが、それによって痛いと感じたり、苦しいと感じたり、嫌な気持ちになるのは、心です。

身体はなんともできなくても、心はなんとかなるものです。だとするならば、その心の方を全力で変えようというのが、アランのいいたいことなのだと思います。彼は決して気休めの言葉を並べているのでも、無邪気に楽観主義を装っているのでもありません。本気でそう思っているのです。心だけは変えられる。そして心を変えれば、病気にならない、あるいは病気は悪化しないと。

私も半世紀も生きていると、何度か病気になったことがあります。妙な病気にかかったり、手術をしたこともあります。特に最近は重いめまいに悩まされていました。無理な生活がたたったのは事実でしょうが、病院ではそれ以上にストレスが原因だといわれました。だからアランのいうことは本当によくわかります。

そこで騙されたと思って、アランの医学を実践してみました。すると気のせいかだいぶ症状が改善したのです。上機嫌になることや、体操と音楽などを実践してみたのですが、おそらくストレスが軽減されたのでしょう。つまり、こういうことを意識すれば、何か自分の生活の中で悪習となっていることが改善され、その結果病気が改善するということなのだと思います。

残念ながら、年を取るにつれ、私たちの身体は病気に対して弱くなっていきます。これは物理的な現象なので抗うことができません。でも、**気持ちはいつまでも抗うことが可能**です。だから年を取るのに比例して、喜びを増やすべきなのです。

その意味では、アランの『幸福論』自体が、病についての項目に限らず、とても楽しくてためになる数多くのエッセイから成っているので、これを読むのもまた喜びを増やすことにつながるといえます。ぜひ家庭の医学の隣に『幸福論』を！

理想的な食事とは何か？
——エピクロスの快楽主義

加齢によって食生活は大きく変わります。具体的には食が細くなったり、食欲が湧かなくなったり、味覚が鈍くなって濃い味を好んだりしますが、実感されている方は多いのではないでしょうか。快楽主義を唱えた古代ギリシアの哲学者エピクロス（前341〜前270）は、食べる喜びこそ善の始めだといい、食についてさまざまな言葉を残しました。楽しい食生活のために、エピクロスの叡知《えいち》を参考にしながら食事の意義について考えてみましょう。

●食は幸福のバロメーター

多くの国で、ご飯を食べたかどうかということが挨拶代わりになっています。また、「食べていかなければならない」というふうに、生きることを「食べていく」と表現することもあります。それだけ食べることが大事だということです。

でも、食べることは単に大事だというだけでなく、人生に喜びをもたらしてくれるものでもあります。そう、生きることの喜びの一つは、間違いなく食べることだといっていいでしょう。いくつになっても、食べることは楽しいものです。

古代ギリシアの**エピクロス**は、そんな食の意義を端的にこう表現しています。

> **いっさいの善の始めであり根であるのは、胃袋の快である。知的な善も趣味的な善も、これに帰せられる。**
> (『エピクロス 教説と手紙』岩波文庫、P119)

つまり「**すべての人間の喜びの根底には、食べる快楽が横たわっている**」というのです。頭を使う喜びの根底にも、そして趣味の楽しみの根底にも。生き物は皆食べることで生存していますが、とりわけ人間は食べることを楽しめる生き物です。エピクロスが指摘するように、それは知的な側面にも関係しますし、趣味の側面にも関係するのです。

現に食は知識によって幅が広がるものです。関連する知識を知って食べるのとそうでないのとでは、喜びの量が変わってきます。食通という言葉はそのためにあるのでしょう。

たとえば牛肉の部位にはそれぞれ名前がついていますが、希少部位と知って食べると感動が倍増します。もしかしたら、人間は頭で物を食べている側面があるのかもしれません。

また、食は単に空腹を満たすだけではなく、それ自体が趣味にもなりえます。食べ歩くことや料理自体が趣味の人もたくさんいます。

さらに、食べることはコミュニケーションの手段にもなります。会食は常に人々の距離を近づけるのに役立ってきました。小学校で一緒に給食を食べて友達になることから始まり、ビジネスで相手と打ち解けたり、外交で国家同士の親睦を図ったり、実に様々なレベルで食が大きな役割を果たしています。

このように、人間の生活にとって食は不可欠な要素なのです。だからこそ、その胃袋の快を失うと、すべてが悪になってしまいかねません。たとえば病気をして食べられなくなったような時です。その意味で、**食は幸福のバロメーター**といっても過言ではないでしょう。

普段私たちは、好きなものや美味しいものを食べようとします。栄養は二の次です。特に元気なうちはそうです。でも、年を取るにつれ、そういう食生活に身体が対応できなくなってきます。食べると当然消化しなければなりません。そこには体力が関係してくるのです。

また、病気になったり健康を損なったりすると、自由に食べられることがいかにありがたいか思い知らされます。

人生60年も生きれば、誰しも一度くらいは何らかの病気を患う経験をしますから、正しく食べることを心がけるようになります。実はエピクロスも、晩年は病気に悩まされていたようです。だから余計に食と健康には敏感だったのでしょう。

●必要以上のものを求めない

そもそも私たちの身体は食べたもので形成されていきます。ということは、いいものを食べないと、身体を害することになります。それだけではありません。仮にいいものを食べていても、食べすぎるとまた身体を壊す原因になります。

それにもかかわらず、食べすぎてしまうのはなぜか？　エピクロスはこういいます。

飽くことを知らないのは、多くの人々の言うように、胃袋なのではなくて、かえって、胃袋についての誤った臆見《おっけん》、すなわち、胃袋はこれを満たすのに際限なく多くの量を必要とするという誤った臆見である。（前掲書、P98）

たくさん食べることができればさぞ幸せだろうと思ってしまうのが人間なのです。実際に身体がそれを求めているのではなく、頭が求めている。これがエピクロスの見解です。

これは誰しも経験があるのではないでしょうか。特に若いころはそうです。さすがに年を取るとそういう機会は減るでしょうが、それでもたくさん食べたいという願望を抱くことはあると思います。

人間の欲望というのは厄介なものです。自分のキャパシティを超えて、とにかく無限に求めようとします。でも、少し考えればわかると思いますが、人間の身体は有限です。にもかかわらず無限である欲望に従って行動すれば身体が飽和して、壊してしまうのは火を見るより明らかです。

ですからそんな時は、たくさん食べると苦しみを招くと思えば、やり過ごせるのではないでしょうか。食べることは快楽のためにあるのではなく、健康のためにあるのですから。

一般にエピクロスの思想は**快楽主義**として知られています。ただ、快楽主義といっても、快楽をむさぼることを良しとする思想ではないのです。そうではなくて、**快楽を満たすことでむしろ心の平穏を実現する**のが目的なのです。その心の平穏のことを「アタラクシア」といいます。動揺を意味する「タラケー」に、否定の接頭辞「ア」を付けたものが語源となっています。

快楽の本質とは、決して興奮ではありません。興奮とは落ち着かないことを意味しているのですから、喜びではなく不安の裏返しだといってもいいかもしれません。実際、興奮としての快楽を求める人は、自分の中で何かが欠落しているという焦燥があるのではないでしょうか。

はたしてそれが幸せな状態といえるのかどうか。反対に、心が落ち着いている人は、必要なものを必要なだけ手にしているので、とても幸せそうに見えます。必要以上のものを求めた瞬間、その幸せは零れ落ちていきます。これこそが快楽の本質なのです。

したがって、**胃袋の快は、あくまで度を過ぎないことを条件にして初めて、善の原因となりうる**ということです。

●質素な食事で満足する

そうすると、贅沢な食事ももはや快楽をもたらすものではなくなります。エピクロスがパンと水だけで満足していたというのは有名な話です。彼はその理由をはっきりと示しています。

水とパンで暮らしておれば、わたしは身体上の快に満ち満ちていられる。そしてわたしは、ぜいたくによる快を、快それ自身のゆえにではないが、それに随伴していやなことが起るがゆえに、唾棄する。（前掲書、P114）

「**贅沢な食事は嫌なことをもたらす**」というのです。食べすぎると健康に良くないのはもちろんのこと、次々といいものを求めてしまいきりがないということもあるでしょう。舌が肥えるというように、そのせいで普通のものでは物足りなくなってしまうこともあります。また贅沢な食事は出費もかさみ、自分を苦しめる原因になります。時には自分へのご褒美として、そういう豪華な食事もいいとは思いますが、あくまで例外です。

さすがに水とパンは極端ですが、**生きるために必要な栄養さえしっかり摂っていれば、質素な食事は必ずしも悪いことではない**のです。

エピクロスは、美しく生を送ってきた老人こそが祝福されていると考えるべきだと論じています。

美しく生を送るということの中身は詳しく書かれていませんが、運に激しく弄ばれる若者と対比しているところからすると、自らを律して、健康を維持し続けるような生き方がそこに含まれることは間違いないでしょう。質素な食事で満足するというのは、まさにその典型であるように思います。人間はそれだけで幸せに生を送れる存在なのです。

エピクロスが生きたのは、古代ギリシアのポリスが崩壊し、何が幸福なのかを模索する混迷のヘレニズム期でした。現代もまた混迷の時代といわれ、何が幸福なのか、誰にもわからない状態になっています。だからこそかつてエピクロスが出した胃袋の快という答えは、私たちにとっても大きなヒントになるのではないでしょうか。

つい無理をしてしまうのはなぜか？
——メルロ＝ポンティの身体論

「大丈夫だろう」とつい過信して、後から健康を損ねたという経験は誰しもあるのではないでしょうか。特に年を取ると、身体がいうことをきかないのに、つい無理をしてしまうこともあります。現代フランスの哲学者モーリス・メルロ＝ポンティ（1908〜1961）は、自分と身体を切り離して考え、心と身体という二種類の自分が存在すると主張しました。意識の謎を考えてみることで、身体に無理をさせないためのヒントが得られるでしょう。

●身体を自分と切り離して考える

身体ほど誤解されている存在はないように思います。こんなに大事な存在なのに、なぜか軽視されているのです。

たとえば皆さんはどうでしょう。自分の身体を大切にしていますか？　自信を持って「はい」と答えられる人は少ないのではないでしょうか。かくいう私も身体を軽視し続けてきました。そして何度かそのツケを払ってきました。

では何を重視してきたのかというと、**頭**です。いや、頭も身体の一部ではありますが、なぜか別だと思ってしまうのです。そこに大きな誤解の原因があります。試しに考えてみてください。なぜ頭にだけヘルメットをするのでしょうか。なぜ脳の機能が停止したら、他の臓器は動いているにもかかわらず死とみなすのでしょうか。

それは一般に、脳が人間の意識を生み出しており、その意識こそが身体をつかさどっていると思われているからです。これは哲学の歴史の中でもずっとそんなふうに考えられてきました。

近世フランスの哲学者デカルトのあの有名なフレーズがそれを物語っています。「我思う、ゆえに我あり」。これは人間の意識だけは疑うことができず、意識こそが人間の中心だという意味です。だから身体は機械やモノと同じで、さほど重要ではないといったのです。

その誤解をひっくり返したのが**メルロ＝ポンティ**でした。20世紀になってようやく、身体の誤解を解いたのです。彼は初めて本格的に身体を哲学の主題とした人物であるともいわれます。

その試みは、ある意味で**身体を自分と切り離して考える**ところから始まりました。

私は世界に対する私の観点たる私の身体を、この世界に属する対象の一つとして考察する。

（『知覚の現象学　改装版』法政大学出版局、P133）

メルロ＝ポンティは、「**身体を世界に属する対象の一つとして客観的に捉えてみた**」のです。そうすると、身体には不思議な要素がたくさんあることがわかりました。身体が勝手に動いていることや、身体が勝手に考えていることなど……。ちなみに現代医学ではこのメルロ＝ポンティが論じたことが証明されつつあります。脳だけでなく臓器も思考をしているというのです。

身体を自分のものだと思っていると、そもそもそこに目を向けようともしませんし、そんな不思議にも気づかないのです。その挙句、身体が悲鳴を上げているのに全く気づかず、重い病気にかかってしまいます。

身体の病気だけではありません。身体が疲れたり、病んでしまうことで、心にも影響があるのです。身体の存在を意識しないと、そんなことさえもわからないままなぜかふさぎ込み、酷い場合にはうつ状態にさえなってしまうわけです。

これに対して、**一度自分と切り離して身体を捉えてみる**と、身体は割といろんな役割を果たしているのが見えてきます。もし自分の身体を24時間ビデオに撮ったら、八面六臂《はちめんろっぴ》の大活躍をしているのがわかるでしょう。もちろん人間の顔は八つではなく一つ、腕は六本ではなく二本ではありますが、そう見えるくらい頑張っているということです。

●身体を通じてでないと世界と交流できない

身体の活躍そのものではありませんが、健康診断の結果は、ある意味で身体の頑張りを反映したものだといえます。酷い結果を見て、「ああ、自分は身体にこんなに無理をさせていたんだ」と反省する人は多いのではないでしょうか。悪いのは身体ではなく、自分の方なのです。にもかかわらず、まるで身体が悪いかのようにいわれてしまいがちです。

身体というのは働き者なのです。別に命令もしていないのに、勝手に動いてくれることさえあります。だからつい無理をさせてしまうのでしょう。自分が命令して動かした時はもちろんのこと、そうでない時でさえ勝手に活躍しているのですから。

何も考えずとも、内臓は勝手に動いています。それに、手足だってそうじゃないでしょうか？　普段歩いている時やボケッとしている時に、いちいちこんなふうに足を動かそうとか、手をこう動かそうなどと思ってはいないでしょう。だからメルロ＝ポンティはこういうのです。

身体は「世界における（への）存在」の媒体である。身体をもつということは、生きるものにとって、一定の環境に加わり、若干の企投《きとう》と一体となり、たえずこれに自己を拘束するということである。（前掲書、P149）

身体は自分と世界を取り結ぶ媒体なのです。「私たちは身体を通して世界とかかわり、世界に存在する」ということです。

極端にいうと、**自分と身体と世界の三つは独立しており、自分は身体を通じてしか世界を知ることも、世界で活動することもできない**のです。

逆にいうと、身体は私たちから独立して活動しており、私たちとは違った感覚を持つことすらあり得ます。メルロ＝ポンティが紹介している幻影肢《げんえいし》はその一つの例です。幻影肢とは、病気やケガによって切断した手足が、まだあるかのように感じてしまう現象です。これは自分がそう思っているのではなく、身体が勝手に欠如した部分を動かそうとしているのです。

年を取って思うように身体が動かなくなった時、それでも以前と同じように動いてしまってつまずくとか、転ぶということがあります。これもまた、身体が昔のことを覚えているからかもしれません。自分の頭はわかっているつもりでも、自分の身体はまだわかっていないのです。

●心と身体という二人の自分が存在する

そう考えると、ケガや病気をしないようにするためには、よほど身体を意識して目配りをしておく必要があります。いわば私たちは二人いるのです。**心としての私と身体としての私**です。メルロ＝ポンティはそのことを両義性と呼びます。

自己の身体の経験はこれに反して両義的な実存様式をわれわれに顕示するのである。（前掲書、P327）

両義的な実存様式。難しい言葉ですが、「二種類の存在」と言い換えればわかりやすいのではないでしょうか。**思考も行動もまったく別の二種類の存在が私を構成している**のです。まるで二重人格のようですが、そんなことはありません。人格はあくまで一つです。

むしろ天使と悪魔が同居しているようなイメージでしょうか。もちろん心が悪魔で身体が天使です。悪魔がまだまだやっちゃえというのに対し、天使はもうやめておこうよというはずです。だから内心まだやれると思っても、ちゃんと身体に聞いてみる必要があるのです。そういう対話が自分の中でできるかどうかです。

そのためにも、よく考えて行動するということが求められるのです。**身体と相談するなどと冗談でいうことはありますが、本当に相談しなければなりません**。身体がいうことをきかないとか、身体に鞭打ってという人がいますが、それは傲慢な態度だといわざるを得ません。ちゃんと相談していれば、そのような事態には陥らないはずです。

相談がきちんとできる人は、もはや身体に無理をさせることはなくなるでしょう。その結果、ケガをしたり病気をしたりということも減ると思います。特に年を取ると身体の方の言い分によく耳を傾けなければなりません。

そして相談するだけでなく、きちんといたわってあげましょう。これはきちんと休むということだけでなく、優しい言葉をかけてあげるということです。「お前もよく頑張ってきたねぇ。ありがとう」と。きっともう一人の自分である身体に、その声は聞こえているはずですから。

どうすれば心穏やかにいられるか？
――老子のタオの思想

老年期には老年期ならではの心の変化があります。不安、怒り、ストレス、孤独、無気力……誰もが大なり小なり感じていると思いますが、悪化すると精神面に支障をきたしてしまいます。こうした負の感情とどうやって向き合っていけばいいのでしょうか？　古代中国の思想家である老子（生没年不詳）は「無為自然」を理想とし、無理にさからわずに自然の摂理に従って生きることをすすめました。

●無理にさからわず、水のように生きる

人はなぜ心を病むのでしょうか？　最大の原因は無理をするからです。身体もそうですし、物だってそうだと思いますが、本来のキャパシティを超えて酷使すると壊れてしまいます。心でいうと、本当はやりたくないことを無理にするというのが、一番よくないので

す。**本来あるべき自然なかたちを大事にする**。これは**老子**の思想の根幹にあるものだといっていいでしょう。だから老子はこういいます。

上善は水の若《ごと》し。水は善く万物を利して争わず、衆人の悪《にく》む所に処《お》る、故に道に幾《ちか》し。（『老子』岩波文庫、P39）

その意味するところは、「**物事の最善のあり方は水のようなものだ**」ということです。水はあらゆるものに恵みを与えて争うことなく、また誰もが嫌だと思う低いところに落ち着く。だから道に近いのだ、というわけです。

道というのは、中国語読みすると「タオ」に近い発音になります。いわゆるタオの思想のことです。老子の掲げる宇宙の原理のようなものです。私たちは皆その宇宙の原理にのっとって存在しています。そういうとなんだか不思議な感じがするかもしれませんが、私はこれを自然法則のようなものとして捉えています。

だとすると、**水のようにさからわない生き方が道に近い**というのもよく理解できると思います。考えてみれば、私たちが心を病んでしまうのは、人や物、そして世の中にさからうからです。典型的なのは、意見の食い違いでしょう。建設的な議論はいいですが、不毛な言い争いは単に精神を消耗するだけです。目の前に遮る石があるなら、水のようによけて通ればいいだけのことです。何も無理に抵抗する必要はないのです。

年を取ると頑なになりますし、経験から周囲にあれこれいいたくなります。そこをあえて気にしないようにするのが疲れず生きるコツです。若い人とは考え方が違ったとしても、実害がない限り自分は水だと思って、受け流すのがいいでしょう。

●満ち足りようとしない

そして**何よりさからってはいけないのは、自分自身**です。これは意外と気づかないのですが、人生において最もてごわいのは、自分自身です。にもかかわらず、人は自分自身にさからっていることに気がつきません。そうして知らず知らずのうちに心を病んでしまっているのです。

つまり自分の本心に気づかず、無理をしているということです。とりわけ私は、嫉妬、完璧主義、後悔が自分に対する三大無理なことだと思っています。人間は万能ではないにもかかわらず、そうした欲望がその事実を忘れさせるのです。

老子のいうように、道すなわち自然法則を体得していれば、そのようなことはしないはずです。彼はこういっています。


此《こ》の道を保つ者は、盈《み》つるを欲せず。夫《そ》れ唯《た》だ盈たず、故に能《よ》く蔽《やぶ》れば新たに成る。（前掲書、P67）

「この道を体得している者は満ち足りようとはしない。そもそも満ち足りようとしないから、壊れてもまたできあがる」。老子がいいたいのはそういうことです。**満ち足りようとしてはいけない**のです。なぜならそれは不可能だからです。

自分よりうまくいっている人と同じ状態になりたい。これは嫉妬ですね。でも、そんなことを思っても簡単になれるわけではないでしょう。そもそもなれるなら嫉妬など抱きません。それに、上には上がありますし、欲望は際限のないものですから、嫉妬を抱き始めるときりがありません。

完璧主義はもっと私たちを苦しめます。人間という不完全な存在が、完璧になれるわけがないのです。常に100点満点を目指すことほど苦しいことはないでしょう。それは無理なことです。

後悔というのもまた、無理なことを求めています。済んでしまったことはもう仕方ありません。長く生きてくると、後悔することは増えていきます。それをいちいち思い出して悔やんでいたら、それは日々心を痛めつけるのと同じことになります。

こうした態度を改めれば、心を病むことはないでしょう。いや、人間ですから、失敗はつきものです。時に無理をしてしまい、心を病むことだってあるかもしれません。ただ、満ち足りることさえ望まなければ、少なくとも心は回復していくに違いありません。老子が、壊れてもまたできあがるといっているように、幸い心には回復する機能が備わっているのです。

●身体をいたわれば心も癒される

この時、薬で心を癒そうとする人もいます。それも最後の手段としては必要なのだと思いますが、老子が勧めるのはもっと別の方法です。それは**身体をいたわること**です。やはりなんといっても心と身体はつながっていますから、身体を大事にすることで、心も癒されていくのです。少し難しい表現ですが、老子はこんなふうにいっています。

営魄《えいはく》を載せ抱一《ほういつ》させ、能く離すこと無からん乎《か》。（前掲書、P45）

これは、「心と身体とをしっかり持って合一させ、分離させないままでいられるか」という意味です。**心と身体は車の両輪のようなもの**であって、両者がしっかりと噛み合わないことには、人は前に進んでいくことはできないのです。

逆にいうと、両者は一体のものであって、いずれか一方が弱れば、もう片方をいたわることで全体が回復するのです。休息は身体にとっても、そして心にとっても最高の薬だと思います。

人間はだんだん年を取るものです。だから自分の衰えに気づきません。何か大きな病気やケガをして初めて気づくのです。あるいは他者から客観的に指摘されて初めて気づきます。でも、その時はたいてい遅いのです。

そうならないように、**だんだん休息の時間を増やし、その質を高めていく**のがいいでしょう。まだ大丈夫、若い者には負けないといった気概は大事ですが、実は心にとっては大敵なのです。

年を取るごとに身体は思うように動かなくなるものです。それはもう仕方のないことです。それこそが自然法則なのですから。だとすると、その自然法則にさからってはいけないのです。動けなくなるのを実感するたび、人は抵抗しようとあがきます。無理をするのです。

一つは悔しいからでしょう。その根底にあるのは、死への抗いなのかもしれません。このままだんだん動けなくなって、最後は死んでしまうのではないかと。無意識のうちにそうした恐れが生じ、無理に動こうとするのかもしれません。

ところが、老子にいわせると、**動かないことはむしろいいこと**なのです。

いわゆる「**無為自然**」という四字熟語で知られる老子の思想の本質です。私たちはつい動こう、何かしようとあがいてしまいますが、本当は動かないどころか、何もしないのが一番いいといいます。それによってすべてのことを成し遂げているからです。

一見矛盾しているかに思える表現ですが、決してそんなことはありません。何もしなくても物事は展開していきます。**自然が求めることだけをすればいい**のです。

その意味では、まったく動くなということではありません。余計な動きや、無理な動きをしないということです。

むしろやりたいのにやらないのは、よくないでしょう。散歩に行きたければ行く、食べたいものがあれば食べる。それが自然な動きであり、無為自然なのだと思います。日々そうした行動を心がけていれば、心を病むこともないでしょう。年を取って、ある程度身体が病むのはさからえません。どこかにガタが来るものです。それもまた自然なことです。でも、心まで病む必要はありません。

年齢にかかわらず、心はいつまでも健康なままでいられるものなのです。そのためには心がけが重要です。そんな時、中国で長年にわたって受け継がれてきた老子の思想が、言葉の健康法として役に立つに違いありません。さあ、今日も心の求める快適な一日を送りましょう。

病気になるのも意外と悪くない？
——ニーチェの病気論

当たり前ですが、病気は苦痛を伴いますから、病気にかかってうれしい人はいないでしょう。しかし病気を完全に避けることは難しく、年を取ればそのリスクは格段に増えます。だとすれば、病気に対して別の見方はできないでしょうか？　そこで参考になるのが、ドイツの哲学者フリードリヒ・ニーチェ（1844〜1900）の病気論です。なんと彼は、病気にも良い側面があると主張しました。一見突飛にも思えるこの病気論は、病気の苦しみを乗り越える一つのアイデアとして有用かもしれません。

●病気だからこそ、想像で気持ちを楽に

ニーチェは別に病気論という本や論文を書いているわけではないのですが、病気についてたびたび言及しています。それは彼自身が重い病気にさいなまれ、いわば病気と共存し

てきたからにほかなりません。彼はもともと片頭痛や胃痛に悩まされていました。しかしついにその症状が悪化し、大学教授としての仕事もできなくなってしまったのです。

そのため30代半ばで療養生活を送ることになります。そうして病と闘いながら、執筆活動を続けました。病気に対するニーチェの言葉が両義的なのはそのせいだと思われます。当然病気を恨んでもいたでしょうが、それだけでは精神が持たなかったのだと思います。

たとえば彼はこんなふうにいっています。

だから病人には、それを持てば苦痛が和らげられるように思えるあの別種の娯《たの》しみを勧めるがよい。すなわち、友や敵に示し得る親切や優しさについて省察することである。（『人間的、あまりに人間的』ちくま学芸文庫、２巻P394）

ニーチェは「病人の娯しみ」という逆説的な表現で、むしろ「**病気だからこそ想像によって気持ちを楽にすることができる**」と主張します。

ここでニーチェが挙げているのは、友や敵に示し得る親切や優しさです。病気だからこそ、友達のことを思い、あるいは敵やライバルのことをあえて肯定的に捉えるのです。そうすれば、気が紛れるということでしょう。

病気で寝込んでいる時、私たちにできるのは想像だけです。いや、**病気でやれることが制限されているからこそ想像や空想、そして妄想に時間を費やせる**のです。それに、制限されているからこそ、想像力が研ぎ澄まされるのかもしれません。だから「病人の娯しみ」なわけです。普段は味わえない特権だといってもいいでしょう。しかもその想像が豊かであればあるほど、たとえ一時的にだとしても病気の苦しみを忘れることができます。

一般に病人は、怒りや苛立《いらだ》ちを別の方向に向けることですっきりしようとします。イライラする時、モノに当たるのと同じです。ところが問題は、何かに当たるとすっきりしますが、モノが壊れたり、そのモノに当たったことに罪悪感を覚えたりして、新たな苦しみにさいなまれる点です。

ニーチェはそれを「別の悪魔にとりつかれる」と表現しています。ならば、このロジックを活かし、いいことに目を向ければいいのです。そうすれば、病気の苛立ちや苦しみは、いいことに転化するはずです。

●病気になって初めて、日常の深刻さがわかる

そう、病気はマイナスばかりではないのです。病気でも楽しめることはたくさんあります。なんとニーチェはそれにとどまらず、病気には価値さえあるというのです。その名も「**病気の価値**」というアフォリズム（格言）があります。若干長いですが、切れ目がないのでそのまま紹介しましょう。

> **病気でねている人は、ときとして、彼が通常自分の職務・仕事または社交という病気にかかっており、そういうものによって自己に対する思慮をすっかり失っていたということを見抜く、彼はこういう智慧を、病気が彼に強いる閑暇から得るのである。**（『人間的、あまりに人間的』ちくま学芸、2巻P302）

これもまた痛烈ですね。「**病気で寝込んで初めて、普段自分が日常という病気にかかっていたことに気づく**」というわけです。しかも自分をいたわることを忘れていたと。それこそが病気の価値だというのです。たしかに毎日あくせく働いて、時にそのせいで病気になっ

たりして、それで初めて自分の日常を振り返ります。

私も同じことを感じたことがあります。がむしゃらに突っ走ってきて、ある日病気で倒れたのです。そうして気づいたのは、かかった病気の深刻さではなく、病的な日常の深刻さでした。そうして日常を改めた結果、病気もよくなりました。

生活習慣や仕事のやり方を改めるだけで、多くの病気は解消されるような気がします。よくいわれることですが、病気は心身のSOSなのです。そしてそれは皮肉なことに病気にならないとわからない。それが人間なのだと思います。年を取ればより病気に敏感になると思いますが、それでも病気には種類や程度がありますから、その都度原因が違って、毎回反省することになるのです。

●病気によって精神が解放される

ニーチェが指摘しているのは、病気になったことには意味があるということです。でも、彼にいわせると、病気にはもっと積極的な意義があります。なんとそれは精神の解放です。

ニーチェは長年自分を苦しめてきた病気に感謝さえしているのです。

重い病衰の時期がもたらした収穫は、今日なお私には汲みつくせないほどのものだが、そういう時期に感謝の念なしに別れを告げたくない私の気持ちは、おわかりだろう。

（『悦ばしき知識』ちくま学芸文庫、P12）

重い病気の時期がもたらした収穫とは何か？　ニーチェは普通の人ではありませんでした。いわずと知れた哲学者です。そんなニーチェにいわせると、哲学者とは霊と肉とを分けることができない存在なのです。つまり、肉体と精神は一体化しており、思考は肉体から生じるというわけです。快適な時は明るいテーマについて思考するでしょうし、苦しい時はそれが原因となって、苦しさをテーマにした思考を行います。

ニーチェは生を重視した哲学者でした。**生の哲学**の先駆者とも称されるほどです。だから抽象的な思考にはなんの意味もないと考え、人生の中で私たちが経験する現実を重視したのです。そうして**現実について考える機会を持てる**ということが、まさに重い病気の時期がもたらした収穫にほかなりません。

ニーチェの哲学が人気なのは、そのリアリティにあります。難しい表現を使っていても、そこには必ず現実が透けて見えます。すべてが人間ドラマなのです。生まれてきて、年老いて、病気になり、やがて死んでいく。生老病死《しょうろうびょうし》というドラマ。現に彼は、人は病気無しで生きられるのかとも問うています。

もちろん答えはノーです。人間は必ず病気になります。時に病気は大いなる苦痛をもたらすのです。その**大いなる苦痛こそ「精神の最後の解放者」である**と喝破するのです。精神を本物にするということでしょう。言い換えると、人生に正直になるということかもしれません。ニーチェ自身は「われわれを深める」と表現しています。

重い病気になった時、人は本当に大事なものだけに向き合おうとします。なぜか？ それは死に直面するからです。どんな病気も、その先で死につながっています。風邪だってこじらせれば死に至ります。ほんの少しのきっかけで、私たちは死へと追いやられる可能性がある。それはあのコロナ禍を経験した人間であれば皆、肌感覚として持っている実感だと思います。

だから私たちは、**人生を見つめ直し、本当に大事なものを見極めようとする**のです。それは必然的に私たちの思考を深いものにし、人間性を深める結果となります。ニーチェのいう「われわれを深める」とはそういうことなのではないでしょうか。

これはいくつになっても同じだと思います。年を取って病気をした時は、なおさら死と結びつけることが多くなります。でもそれは決してネガティブなことではなく、自分を深めることになる。そう思えれば、病気になったことを悔いるより、もっと前向きに与えられた時間を濃密に生きることができるのではないでしょうか。病魔に襲われ、55年という決して長くはない人生を濃密に生ききった偉大な哲学者ニーチェと同じように。

これから次々と襲い掛かってくるであろう病気を前に、心の準備はできたでしょうか。ニーチェが教えてくれるのは、病気の治し方でもなければ、我慢の仕方でもありません。あくまで病気の最高の活かし方なのです。

第3章

人間関係の哲学

家族に迷惑をかけるのは悪いことか？

――和辻哲郎の家族倫理

年を取って身体が動かなくなると、家族の助けを必要とすることが多くなります。病気によって入院や介護に直面すればなおさらです。そんな時、誰しも「家族に迷惑をかけたくない」と心配するのではないでしょうか。日本の哲学者和辻哲郎《わつじてつろう》（1889〜1960）は著書『倫理学』の中で、家族のしくみや関係性について論じ、家族間での支え合いが重要であると説きました。最も身近な人間である家族の存在について考えてみましょう。

●夫婦は運命共同体

年を取ってくると家族との関係性が再び濃くなっていくような気がします。生まれた時は家族と共に過ごし、その中で成長し、やがて独り立ちしていきます。そうして結婚し、今度は自分が家族を持ちます。子どもが生まれ、その子どもも巣立つと、夫婦二人きりになったり、自分一人になったりします。中には、子どもや孫と同居する人もいるでしょう。
人の生き方には様々な形がありますが、**多くの人は家族の中で育ち、社会に出て、最後はまた家族の元へと帰っていく**。そんな大まかな捉え方ができるのではないでしょうか。だから年を取るとまた家族との関係が濃密になるわけです。

和辻哲郎は、まさにそんな家族と人生との関係について論じています。彼の『倫理学』には「人倫的組織」という章があり、その第二節が「家族」となっています。人倫というのは人間社会の倫理という意味で、人倫的組織は家族のほかに、親族、地縁共同体、経済的組織、文化共同体、国家などを含みます。つまり、人が形成する共同体の総称だと思っておけばいいでしょう。その中の家族という共同体の最小単位を、和辻は「**二人共同体**」と呼び、次のように定式化しています。

二人共同体がこのような相互参与において成り立つとき、この相互参与は二人の存在を浸透し、それを一つの共同的存在ならしめる。（『倫理学』岩波文庫、2巻P96）

二人共同体とは、自分のほかにもう一人いれば成り立つものです。「私とあなた」の関係です。それは彼が相互参与と表現しているように、相互にかかわり合うことを前提にしています。それは身体だけではなく心においてもそうです。いいことも悪いことも、存在のすべてが二人によって形成されるのです。逆にいうと、いずれか一人の死によってその関係は終わりを迎えます。

その典型例が夫婦です。たしかに**夫婦は相互参与することによって、一体化していきます。**最初は異なる個人同士ですが、結婚し、互いに私的な事柄を共有する中で特別な関係になっていくわけです。

年老いた夫婦はもはや戦友のようだとさえいわれることがあります。生活、特に子育てにはさまざまな困難がつきものですから、互いに助け合い、励まし合いながら共同でプロジェクトを遂行する戦友なのかもしれません。

子どもが巣立って夫婦が老後二人きりになれば、今度はお互いを支え合う関係になります。いろいろとできないことが増えていきますし、病気になったりもします。その時一番身近にいて助けてくれるのは配偶者なのです。さらに現代では夫婦間の老老介護も増えています。もう運命共同体といってもいいでしょう。

だからでしょうか、中には夫婦のいずれか一方が亡くなると、もう一方も後を追うように亡くなってしまうということがあります。それはもう二人にしかわからない世界です。

●子どもが夫婦の仲立ちをする

しかしそこまでの関係に至るには、実は第三者の媒介があったといっていいでしょう。多くの場合それは子どもの存在です。昔から子はかすがいといいますが、**子を通じて夫婦の絆は強まる**ものです。ドイツの哲学者ヘーゲルは、そんな夫婦と子どもから成る近代的家族観を提示した最初の一人であり、和辻もまたその論理を受け継いでいます。

現に和辻の用いた人倫という語はもともとヘーゲルのいう共同体の概念「ジットリヒカイト」の訳であり、ジットリヒカイトとは習俗を意味する「ジッテ」がもとになった言葉です。共同体は日常の積み重ねの上に、習俗のように時間をかけて形成されていくものなのです。

そこで和辻もヘーゲルにならい、二人共同体の次の段階として、第三者である子どもがかかわる三人共同体をめぐって議論を展開していきます。

三人共同体は、三人の存在の共同として、三者がいずれもその存在に参与し合うというだけではない。ここではいずれの二人の関係も第三者に媒介せられているのである。（前掲書、P167）

二人共同体と三人共同体が異なるのは、単に人数だけではありません。かかわり方も異なってくるのです。二人共同体の場合相互参与であるだけでなく、今度は媒介の関係になるわけです。子どもを介して夫婦の関係が成立するということです。ちなみに、これは子どもが何人いても同じです。理屈のうえでは第三者としてひとくくりにされます。

たしかに子育てとは子どもを育てているようで、実は夫婦の関係を育てている側面もあります。そうして子どもが大人になるまでは、あくまで子どもを媒介とした夫婦の関係が続くのです。

●家族の支え合いこそが重要

その関係が解体するのは、子どもが大人になった時でしょう。

大人になった子どもは、もはや命令される存在ではありません。いわば親子は世代を超えて同志になるのです。和辻は、その時子どもと親との間で、世代の統一における親子の共同存在が形成されるといいます。**親と子が互いを認め合い、対等に接するようになる**ということでしょう。親が年老いてくると、その対等性は益々進展していきます。だからといって、逆転することはありません。見かけ上は逆転しているかのように思うことはありますが、それは助け合いの一つの形であって、立場の逆転とはいえないでしょう。

親子の対等性については、和辻の家に対する考え方を見ればわかると思います。彼の哲学者らしい表現を見てみましょう。

> **そこで「家」の存在は、財の受用の共同、すなわち生命の再生産の共同を意味する。**（前掲書、P227）

昔の家には竈《かまど》がありました。そこで食事が作られ、家族が竈を囲んで生活をしていたわけです。今でも台所やリビングは家族が集まって食事をする場だと思います。そこで何が行われているかというと、生命の再生産の共同なのです。

もちろん食べることは一つの象徴であって、そこではほかにも様々な活動が営まれているわけです。たとえば和辻は睡眠を例に挙げています。家は安心して眠る場所であり、睡眠によって人は生命を再生産します。体力を回復し、気持ちを整理するのです。

私たちは普段当たり前すぎて気づいていませんが、食事にせよ睡眠にせよ、弱っている時は誰かの助けや協力が必要なのです。病気で寝込んでいる時は、誰かが食事を作ってくれないと何も食べられません。台風の夜、親がそばにいてくれないと小さな子どもは安心して眠ることができません。家族というのは、そういう生きるうえで不可欠の営みを共にし、しかもお互いがそれを十分享受できるように助け合っているのです。

人は弱った時初めて家族のありがたさや意味を知るのだと思います。だから年老いてくると、家族のありがたさを強く感じるのではないでしょうか。これは何も高齢者が弱い存在だなどといいたいわけではなくて、より支え合いを必要とする存在だといいたいのです。支え合いが必要であることは、悪いことではないはずです。日頃私たちは、どうしてもそこを勘違いしています。

そもそも和辻の思想の根幹には**間柄**という概念があります。それは**人間にとっては人と**

人の間の関係性こそが重要だという、人間の本質を捉えた概念です。とするならば、人が助け合ったり支え合ったりすることも、もっとポジティブに捉えることができるのではないでしょうか。

夫婦二人の二人共同体における相互参与もそうですし、子どもを媒介とした三人共同体もそうです。家族というのは、お互いを支え合いながら、生命の再生産を共同しているのです。支える側も支えられる側も。

年老いていくと、どうしても家族に迷惑をかけるのではないかと思いがちですが、そんな心配はありません。元来**家族はそうやって迷惑をかけあい、泣いて笑って日々を過ごすために存在している**のですから。

仕事を続ける上で大事なことは？

──ホッファーの労働論

今の日本では60歳で定年退職する人は少なく、65歳、70歳まで働く時代になりました。中には70歳を過ぎても働き続ける人もいます。体力もなくなっていく中、仕事とどのように向き合っていけばよいのでしょうか？　アメリカの哲学者エリック・ホッファー（1902〜1983）は、独学で哲学者となり、港湾労働者として働きながら執筆活動を続けました。彼の人生観がふんだんに詰め込まれた珠玉の言葉から、社会との理想的なかかわり方を想像してみましょう。

●自尊心のために働く

「人生100年時代」といわれるようになって、何が一番変わったか？　おそらくそれは働くということに対する考え方ではないかと思います。これまでは60年そこそこで引退し、後は余生を送るというのが常識でした。

寿命の延びにつれ、仕事を引退する年齢も高まりました。人々が健康に生きる時間がますます長くなる社会において、働くことの意味はまったく変わってきているのではないでしょうか。

つまり、人生を終える間際まで社会にかかわる活動をするのが当たり前で、要は最後はどのように働くかこそが問われるようになってきているのです。さすがに80代や90代で、30代40代といった働き盛りの世代と同じ仕事、同じ働き方をすることはあまりないでしょう。でも、**広い意味で働き続けることになる**のはたしかなのです。

その部分の折り合いをつけることで初めて、幸福な老後を過ごすことが可能になります。もはや会社に所属することはないかもしれないけれど、はたまた毎日働くわけではないかもしれないけれども、少なくとも労働者として活動し続けるのです。

これは社会がそうした生き方を求めているからというよりも、その方が人は生き生きと日常を過ごすことができるからです。生涯現役という言葉は、単なるスローガンではなく、いまや常識になりつつあるのです。

では、いったいどのように働き、どのように人や社会とかかわっていけばいいのか。同じく生涯現役を通した**ホッファー**の労働論を参照しながら考えてみたいと思います。
ホッファーは、港湾労働者として生涯働きながら思索を続けた異色の哲学者として知られています。彼は幼少期に一時的に失明していたことや、両親を失ってしまったこともあって、一切学校教育を受けずに育ちました。だから働かざるを得なかったという事情もあります。

そんなホッファーにいわせると、**人は必要なもののためにではなく、むしろ不必要なもののために努力し、働く**といいます。この場合の不必要なものとは、直接的に目的とされるようなものではなく、人から見ればどうでもいいようなものと解釈していいでしょう。たとえば自尊心のようなものです。

彼は「自尊心は魂を贖う唯一の通貨だ」ともいっています。自尊心だけが自分を救ってくれるということです。なぜなら、自尊心は自らの潜在能力と業績から引き出されるものだからです。

これは私たちが生涯働いていくうえで、とても大事なヒントになるような気がします。お金のために働くとか、生産性を上げることを目的にするとなると、若い時のようにはいかないでしょう。60代くらいを境に、どうしても肉体の衰えも出てくるでしょうから。しかし**自尊心のために働く**となると、いくつになっても変わることはないはずです。
そのうえでホッファーは、次のように物事を追求することの意義を強調します。

あらゆる情熱的な追求において、重要なのは追求される対象ではなくて、追求という行為そのものなのだ。
（『エリック・ホッファー　自分を愛する100の言葉』PHP研究所、P112）

追求するその行為自体が重要だというのなら、働いている限り実現可能です。
ホッファー自身、昼は港湾労働者として働き、夜は哲学者として思索と執筆の日々を送っていたわけですが、その根っこには自尊心があったのです。自分は世の中の役に立っている、そして自分が幸福を感じられる仕事をしているという感覚です。だからホッファーは、このライフスタイルを貫きました。別に港湾労働者を辞めても生活をしていけたのでしょうが、あえて続けたのです。

●人々にまじりつつ、孤独でいる

ただ、外で働き続ける限り、人間関係はつきまといます。それは非常に厄介なもので、ホッファーにとっても例外ではありませんでした。

港湾労働という仕事をこよなく愛していたホッファーですが、それでも人間関係で不愉快な思いをして疲れることがあったようです。そんな彼は、5分間論争するよりも、5時間働いた方がましだと漏らしています。

基本的に彼は人と深く付き合うことをせず、時に親しくなっても、自ら離れていくということさえあったといいます。そうした人間関係をよくビジネスライクといいますが、ホッファーはその意味での薄い関係をあえて心がけていたように思えてなりません。だからといって、人間嫌いだとか、つまらない人生を送ったわけではないのです。

実際、ホッファーは人生の中で何度も素敵な出会いをしています。たとえば、レストランで働いていた時、ある紳士の靴下に穴が空いているのを発見し、縫ってあげたといいます。すると、その人が金時計をくれたそうです。

でも、その人と連絡先を交換するわけでもなく、二度と会わなかったらしいのですが、30年たってもその記憶は鮮明に残っているといいます。おそらく顔もはっきりと覚えていたことでしょう。ホッファーはそうやって人とかかわってきたのです。

それは単に彼が社交的ではなかったということではなく、作家としてその方が望ましかったからなのでしょう。ホッファーはそのことをこう表現しています。

人々にまじって生活しながら、しかも孤独でいる。これが、創造にとって最適な状況である。このような状況は都会にはあるけれども村とか小さな町にはない。（前掲書、P120）

別に無人島で生活したかったわけでもなければ、人と交わりたくなかったわけでもないのです。作家として創造活動を行ううえでは、適度なにぎやかさと、適度な時間が必要だったのでしょう。

これは何も作家に限らず、どのような職業についているとしても、理想の状況なのではないでしょうか。**寂しくもないし、それでいて自分の時間が取れるという「ちょうどいい日常」**です。とりわけ年を取ってくると、そういう環境が心地よくなってきます。

若いころは人と群れたり、騒いだりする方が楽しかったかもしれません。でも、だんだん一人静かに過ごせる時間を求め始めるのです。だからといって、完全に孤立してしまうことには寂しさを覚えます。

だから**人々にまじりつつ孤独でいることで、自分のペースを保ちながら自分の時間を守ることができる**。ホッファーがそうしたように、老齢を迎えたらこのような働き方をするのが仕事を無理なく続けるコツなのかもしれません。

●ちょうどいい日常

私が憧れるのもそんな日常です。でもそれは会社勤めではなかなか実現できるものではありません。私の場合でいえば、大学を定年してからになると思います。逆にいうと、今の時代はその後も何らかのかたちで働き続けるのですから、いつの日かちょうどいい日常が待っているということになります。

その点でもホッファーは、**生涯働き続ける時代のお手本**ということができます。彼は早くから、生涯続けられるちょうどいい日常を確立していました。それはこんな日常です。

世間は私に対して何も負っていないという確信から、かすかな喜びを得ている。私が満足するのに必要なものはごくわずかである。一日二回のおいしい食事、タバコ、私の関心をひく本、少々の著述を毎日。これが、私にとっては生活のすべてである。（前掲書、P32）

定年になるまではこれに加えて港湾労働をしていたわけです。その後は著述業を仕事にしていました。このホッファーの生き方は、ささやかではありますが、なかなか得難いものでもあるように思います。それは私たちが飽食の時代を生き、求めすぎてきたからではないでしょうか。本書は私のような50代から60代、70代あたりの読者を想定していますが、この世代はその前後の世代に比べて仕事に恵まれてきたといっても過言ではありません。

だからこそ贅沢になりがちなのですが、今一度ホッファーのいうような**ささやかな働き方、ちょうどいい日常**に目を向けることで、豊かな老年期を過ごすことが可能になるように思えてなりません。

他者とどうかかわっていけばいいか？

――レヴィナスの他者論

年を取ると退職や病気、あるいは死別を経験し、交友関係が狭まっていきます。その一方、体力の低下によって自分でできることが少なくなり、他者への依存度は高まっていきます。狭く濃い付き合いが求められる老年期において、他者とどのように向き合っていけばよいのでしょうか？　ユダヤ人哲学者エマニュエル・レヴィナス（1906〜1995）は、私たちには他者に応答する義務があると唱えています。

●他者とはどういう存在か？

人間はどこまでいっても他者と関係を持たざるを得ない生き物です。本当の意味で一人になるのは、人生の最期の瞬間だけでしょう。それでも山奥で一人ひっそり息を引き取るのでもない限り、最期を迎えるのが家だろうと病院だろうと、誰かが関係してきます。人間はどっぷり他者の網の目の中に絡まりながら生きているのです。

そうした他者の存在について深く考察した哲学者が、フランスで活躍した**レヴィナス**です。彼はもともとはリトアニア出身のユダヤ人なのですが、そのせいで第二次世界大戦の時にはナチスの迫害を受けます。そうして家族のほとんどを虐殺されてしまったのです。

一人残されたレヴィナスは、その経験がもとで他者への関心を強めます。ナチスがいとも簡単に殺してしまった他者、そして残された自分を取り巻く他者とはどういう存在なのか。その答えの一つが、『全体性と無限』という彼の主著の次の一文によく表れています。

絶対的に〈他なるもの〉とは他者である。〈他者〉は〈私〉に加算されることがない。「きみ」あるいは「私たち」と私が語るような共同体は、「私」の複数形ではない。

(『全体性と無限』岩波文庫、上巻P52)

レヴィナスのいう**他者は、絶対的に他なるもの**なのです。つまり、〈私〉に取り込まれてしまうことのない存在です。だから他者をひっくるめて「私たち」と表現したとしても、それは決して〈私〉が複数存在するという意味ではないといいます。**あくまで〈私〉と他者がいるだけで、それを「私たち」と表現しているに過ぎない**ということです。

これに対して、〈私〉の中に取り込まれてしまう存在とはどんなものなのでしょうか？　多くのモノはそれに当てはまるでしょう。モノはいくらでも所有できますから。破壊してしまうことさえ可能です。でも、人間はそういうわけにはいきません。

ところが、それをやってしまったのがナチスだったのです。彼らは人間を破壊し、殺してしまった。それはもう他者という存在を認めず、自分の中に取り込むのに等しい行為です。あたかもモノのように扱ってしまったのですから。ナチスはそうやって、他者のいなくなる世界、つまり異なるもの、他なるものが存在しない全体主義を実現しようとしたのです。レヴィナスの著書のタイトルにある「全体性」とはそういうことです。

●相手は個性を持った他者である

ナチスの話をすると大げさに思われるかもしれませんが、これもまた同じ人間が犯してしまった過ちであり、ある意味で誰もが犯しうる蛮行なのです。ややもすると、私たちだって他者を自分の中に取り込もうとしてしまいます。自分では気づかないことが多いと思いますが、そういう態度を取ってしまっているのです。

高齢者も例外ではありません。これは力があるとかないとかいう問題ではなく、人間としての他者に対する態度の問題です。たとえば、いうことを聞かない若い人を責めるというのも他者を取り込もうとする態度の表れといえます。全部自分の中に取り込んでしまった方が心地いいし、物事は思い通りに進みます。全体性は人間の求める本能のようなものなのです。

でも、本来人間は一人ひとり異なる無限の存在であるはずです。これがレヴィナスのいう無限です。そこで、意識して他者を他なるものとして認識する必要があるのです。そのためにレヴィナスは**他者の顔に着目する**よう促します。

顔は、内容となることを拒絶することでなお現前している。その意味で顔は、理解されえない、言い換えれば包括されることが不可能なものである。
（前掲書、下巻Ｐ29）

つまり、「人間の顔は他者に完全に理解されたり、他者の所有物になってしまうことはあり得ない」といっているのです。そんなことは不可能だと。たしかに人間の顔は一人ひとり異なりますし、まったく同じということはあり得ません。だから顔認証が可能になるのです。いわば**顔は、絶対的に他なるものの象徴**なのです。

その証拠に、人の顔をまじまじと見ると、その人が個性を持った一人の人格であることがよく理解できます。普段私たちは他者をそんなふうに見ていないのです。電車で他者の顔をまじまじと見ることはないでしょう。だから彼らは乗客という一言でまとめられてしまうのです。群衆も大衆も同じです。

もっというと、戦争でも兵士だと思うから撃ち殺せるのです。これが個性を持った他者だと思うと、途端に殺せなくなります。兵士が相手の顔を見ないようにするのは、そうした理由からです。相手はターゲット、単なる的なのです。

戦場の話と高齢者にとっての他者がどう関係するのかと思われるかもしれませんが、これもまた同じ理屈なのです。

先ほど年を取ると他者に依存する度合いが高まり、付き合いが狭く濃くなると書きました。だとすると、付き合っている人、世話になっている人は、皆隣人だとか看護師、ヘルパーではなく、**一人ひとり名前と個性を持った他者だと認識する必要がある**のです。そうして初めて、互いに敬意を払って接することができるようになります。

●他者に応答せよ

とりわけ現代の介護サービスは、家庭でやるべきことをビジネスにしたといわれます。その分サービスを受ける高齢者もまた、ケアする人たちを人間ではなく「サービス」として捉えがちなのです。しかし、ケアする人はモノではありません。

ケアする側の倫理がよく問われますが、ケアされる高齢者もまた相手を尊重する必要があります。もはやそれは助け合いが不可欠である人間の義務だといってもいいでしょう。そう、**他者とは義務の対象**なのです。レヴィナスの他者論はそこまで行きつきます。

その超越において私を支配する〈他者〉は、同時に異邦人、寡婦、孤児であり、かれらに対して私は義務を負っているのである。（前掲書、下巻P79）

超越、つまり自分を超えた外側から他者という存在はやってきます。そんな他者とは、皆手を差し伸べられるのを待っている人たちであり、その他者に対して私たちは義務を負っているという意味です。たしかに人は皆誰かの助けを必要とするものです。人は一人では生きられませんから。

誰かに義務を負うというと、自分が何かを引き受けたり、不利益の原因をつくってしまった場合に限られるようにも思われます。しかしレヴィナスはそうは考えないのです。**私たちには他者に応答する義務がある**というのです。

その背景には、他者という概念に対するレヴィナスのより積極的な意義づけが横たわっているといっていいでしょう。彼にとって**他者とは、単に手を差し伸べるだけの存在ではなく、むしろ自分を形作ってくれるもの**でもあったのです。

考えてみれば、私たちは他者と接することで新しいことを学び、刺激を受け、成長していきます。その意味では、他者が自分を形成しているといえるわけです。だからこそ、そんな他者に対して応答する義務があると主張するのです。

これはいくつになっても同じです。私たちの精神は死ぬまで成長し続けるといいます。その成長をもたらしてくれるのは、やはり他者なのです。私も若い人たちから学ぶことはたくさんありますが、高齢者もそうなのでしょう。時には孫から教えられることだってあるかもしれません。

それは若者だけが知っている知識や文化ということではなく、例えば忘れていた純粋な気持ちや生きる気力といったもっと深いものです。そうした刺激のおかげで、私たちは最後まで輝いて生きることができます。だとするならば、レヴィナスのいう通り、他者に応答し続けるのは義務なのかもしれませんね。

孤独になったらどうすればいいか？
――ショーペンハウアーの孤独のススメ

日本の高齢者の４人に１人が単身世帯とされ、高齢者の孤独・孤立は社会問題となっています。今そうでない方でも、いつか自分が孤独になったらどうしようと思うことがあるかもしれません。孤独な老後を迎えた時、私たちはどのように過ごせばいいのでしょうか？

近代ドイツの哲学者アルトゥル・ショーペンハウアー（1788〜1860）は自身も孤独な生涯を送りましたが、彼いわく孤独とはむしろ自由な時間であり、有意義に過ごせば人生を謳歌できるということです。そんな彼の「孤独のススメ」を紹介します。

●孤独とは自由である

人生を豊かにするものであると同時に、それと同じくらい苦しくするのが人間関係です。だとするならば、そもそも孤独でいることを楽しんだ方がいいのかもしれません。そうした孤独のススメを説いたのが**ショーペンハウアー**です。

とりわけ老後は必然的に孤独になりがちです。そんな人生を寂しいと捉えるか、豊かと捉えるか。孤独を愛するショーペンハウアーはこう断言します。

> **偉大なる精神の持主になると孤独を選ぶようになる。なぜなら、人はおのれに蔵するところが大きければそれだけますます外から求めるものが少なくなり、またそれだけ外部の事物は彼を左右することができにくくなるからだ。**
> (『孤独と人生』白水社、28頁)

孤独な人生は自分の外のものに頼る必要がなくなるという意味で偉大なのです。これは彼の深い思索の結果見出された真理といっていいわけですが、単に観念的なものではなく、彼自身が経験したいわば実証済みの哲学でもあります。

ショーペンハウアーは孤高の哲学者として、権力にもなびくことなく、また愛情さえ押し殺して、生涯孤独に思索の道を歩みました。

もっとも、若いころは、商家の跡取りとして社交に明け暮れる日々を過ごしましたが、だからこそ**無為に他者と時間を過ごすことの無意味さ**を感じ取ったのでしょう。

そして何より、大学教員としての挫折が、孤独の道に進まざるを得ない運命を彼にもたらしたのです。哲学者としてのデビュー直後、赴任先の大学でこともあろうか当時すでに名声を得ていた偉大な哲学者ヘーゲルと同じ時間に授業をぶつけていったのです。その結果、ヘーゲルのところには大量の学生が詰めかけたのに対して、新任のショーペンハウアーが獲得した学生はわずか10人足らずにとどまりました。

ショーペンハウアーはその日のうちに大学を去り、二度と戻らなかったといいます。その後は一人孤独に思索と著述の日々を送ったのです。しかしこの孤独な日常が、彼の人生を偉大なものに変えたのです。

多くの弟子に囲まれ、社交や雑事に時間を費やすヘーゲルをしり目に、純粋に思索にふけることができたからでしょう。言い換えると、自分のやりたいこと、やるべきことに専心できたということです。そのことをショーペンハウアーは、自由という言葉で表現しています。

なんぴとも完全におのれ自身であることが許されるのは、その人が一人でいるときだけである。したがって孤独を愛さないものは、自由をも愛していない。（前掲書、142頁）

そう、**孤独とは自由であり、本来の自分になれる時間**にほかならないのです。逆にいうと、誰かと過ごしている時、私たちは自由を奪われているということです。たしかに、付き合いで会食やイベントに参加すると、時間の無駄を感じるものです。もちろんそれ自体を楽しみたい場合は別です。あるいは、どんなことにも無駄はないともいえるでしょう。でも、本当に自分がやりたいことがあるなら、それに専念できるのが一番幸せですし、実りもあります。

逆に参加したかったのに誘われなかったという場合でも、寂しいとか、悔しいと思う必要はありません。代わりに自由を手にしたと思って、自分がやりたいことをすればいいのです。

心配せずとも、永遠に孤独ということはあり得ません。嫌でも人付き合いをしなければならないこともあるでしょう。ならば、**たまたま与えられた孤独な時間を僥倖《ぎょうこう》と捉え、自分のために有意義に使った方がいい**ということです。

●孤独を有意義に活かせば、やがて魅力が増す

ショーペンハウアーの場合、晩年有名になってからは、周りの方から寄ってきたといいます。これは彼が孤独を愛し、自分のやりたいことに専念したからこそそうなったともいえます。**自分の時間を有意義に使うと、魅力が増す**からです。

まだ比較的若い人は、今から孤独な時間を有意義に使っていれば、老後孤独をコントロールできるようになるでしょう。孤独な時間と、人と付き合う時間を自由に選べるということです。年齢にかかわらず、誰しも実績のある人や魅力のある人のところに集まってきますから。すでに老後に差し掛かってしまったという人も、決して手遅れではありません。積極的に孤独を愛していれば、人は寄ってくるものです。寂しそうな人より、生き生きとしている人の方が魅力的に映ります。

すり寄ってくる人やおもねってくる人は、避けられがちです。**魅力的でいたいなら、逆説的ですが、孤独でいるべき**なのです。そもそも人生は、あたかも皆で楽器を演奏するオー

ケストラのように見えますが、実はそうではないのです。ショーペンハウアーはまさにそんな比喩を用いています。

精神の豊かな人は、一人で協奏曲を奏で、あるいはピアノをひく音楽の巨匠と比較することができる。こうした巨匠が一人だけで小オーケストラとなっているのと同じように、精神の豊かな人は一人だけで小世界を形成している。（前掲書、147頁）

だから他人の人生が輝いて見えたり、うらやましく思えたりするのではないでしょうか。反対にみじめに見えることもありますね。ならば、思わず人が立ち止まり、耳を傾けてしまうようなソロ演奏を楽しむように、一人だけでも充実した人生を送るべきだと思います。

かくいう私も、若いころはできるだけ大きな組織で、目立つ大きな仕事をしようと躍起になっていました。でも、いつもそうできるわけではありません。**自分の属する組織や共同体が大きければ大きいほど、孤独を感じる機会も増えます**。常に輪の中に入り、しかも自分が目立つなどということはできないからです。

そんな時、自分の入れない輪を見て、孤独にさいなまれたことも多々ありました。その結果、孤独に耐えきれなくなった私は、所属する共同体自体を離れてしまいました。そして別の共同体の中に幻想を見出そうとあがいていたのです。

もちろん、いくら所属先を変えようが、孤独がなくなることはありません。そのことにようやく気づき、孤独を楽しめるようになったのは、哲学に出逢ってからです。ショーペンハウアーの孤独論を知ったのもそのころです。すると途端に見える景色が変わってきたのです。自分の入れない輪は相変わらずたくさんありましたが、それが羨望の対象から誘惑の対象へと変貌していったのです。私を誘う誘惑です。

それからというもの、可能な限り輪を避けるようになりました。いや、正確にいうと選ぶようになりました。**すべての輪を常に避けるということではなく、自分の都合に合わせて選べるようになった**のです。

●自分らしく生きるために、一人で生きる

共同体の動物、社会的な存在である人間には、どうしても自由に対する制約が課されま

す。つまり、社会生活を送るうえでは何かしらの共同体に属さなければいけないわけですが、本来それは苦痛であったり、強制されるものであってはいけないはずです。

自ら進んで他者のため、社会のために自分の自由に制約を課すのは素晴らしいことです。しかしその道徳観が、いつのまにか孤独であることへのうしろめたさにすり替わってしまっているように思えてなりません。

奇しくも、若きショーペンハウアーが対決したヘーゲルは、共同体主義の祖といってもいい人物でした。人は共同体で自分の役割を果たすことで、周囲から認められると考えていたからです。ショーペンハウアーは、そのヘーゲルの道徳観を否定し、一人で自由に生きることを称揚したのだといういいすぎでしょうか。

いずれにせよこの超高齢社会を生きる私たちは、望むと望まざるとにかかわらず、孤独を味わう日が来るでしょう。その時、心を病むことのないように、今から**孤独を肯定的に捉え、自由を謳歌する練習**をしておいても悪くないような気がします。

人は突然の変化に弱い生き物です。しかし孤独はある日突然やってくる可能性もあります。リストラ、友人が離れていく、家族の死……。それでもうろたえることなく、自分らしく生き抜くために、人に合わせず毎日を過ごしていきたいものです。

老いらくの恋を楽しんでもいいのか？

――フロムの踏み込む愛

年老いても恋愛感情を抱くことはありますが、中には自身の恋愛感情を「年甲斐もなくみっともない」と否定してしまう人もいます。高齢者が恋をすることは、そんなにみっともないことなのでしょうか？　ドイツの精神分析学者エーリヒ・フロム（1900～1980）は著書『愛するということ』の中で、愛の本質に迫りました。愛は能動的な活動であり、自立した人間同士の対等な関係だと彼はいいます。そこに年齢は関係ないのです。恋愛という人間の営みについて、改めて考えてみましょう。

●恋愛で人生の高みへ

もう何年、いや何十年恋を休んでいますか？　恋愛に年齢制限などないにもかかわらず、どうして人は恋愛を若い人だけのものだと思い込むのでしょうか。年を取ると人間的魅力がなくなるのでしょうか？　そんなことはありませんよね。

たしかに若さはなくなりますが、人間の魅力は若さだけではありません。もし自分の若さや外見が恋愛するうえでの重要な要素だと思っているとすれば、それは自分が愛されるかどうかだけを考えすぎているのだと思います。でも本当は、**愛とは双方向の行為であり、愛されるより以前に「愛する」という行為が先立っているはずなのです。**そうして愛を、愛する能力の問題として捉えたのが、『愛するということ』の著者である**フロム**です。彼は愛についてこんなふうに定義しています。

> **愛は能動的な活動であり、受動的な感情ではない。そのなかに「落ちる」ものではなく、「みずから踏みこむ」ものである。**
> （『愛するということ　新訳版』紀伊國屋書店、Ｐ42）

つまり「愛とは能動的な行為であって、勝手に恋に落ちていくのではなく、みずから踏み込んで行動して成就するものだ」ということです。私たちはよく、キューピッドが矢を放ってくれることで恋に落ちるのだと勘違いしてしまっています。

たしかに一目ぼれや、急に誰かのことを意識し始めることはあるものです。でもそれでもそこから**恋愛に発展するかどうかは、私たちの能動性次第**なのです。皆さんも、あの人いいなとか、付き合ってみたいなと思うことはあるでしょう。でも、その気持ちがすぐ恋愛につながるわけではありません。多くの場合、その気持ちは一瞬で消えていってしまうのです。

それはもう遠慮といってもいいと思います。でも、いったい何に遠慮しているのでしょう？　他人でしょうか？　他人は他人のことなど気にしていません。遠慮しているのは自分自身に対してなのです。自分に遠慮するというのは、自信のなさの表れといえます。

だから**自信を持って、瞬間的に抱いた気持ちを逃すことなく、消えないように燃えさせた人だけが恋愛をすることができる**のだと思います。自信については後で論じますが、とにかく恋愛とはそんな熱い営みなのです。それは必ずしもかっこいいものではありません。どちらかというとかっこ悪い場合の方が多いですよね。

必死になって追いかけて、普段の自分とは違うところを見られて、時に失敗して。それでも挑戦する価値があるのが、恋愛なのです。それは山道を歩くのに似ているかもしれません。恋愛しなければ、苦しむことも胸を躍らせることもなく平坦な道を歩いて行けます。でも、恋愛すると決めた途端、私たちの人生は急に山道に姿を変えるのです。

山道はなかなかうまく前に進まなかったり、疲れたりします。でも、だからこそ様々な経験ができるのです。何よりそこで出くわす景色はとても美しいものです。しかも一人ではないのです。共に歩んでくれる人がいるのですから。

●愛は自立した人間同士の関係である

つまり私がいいたいのは、**年齢で恋愛を諦める必要はまったくない**ということです。なぜなら、恋愛は自分の人生経験の豊富さ次第でもなく、ましてや自分の身体次第なのでもなく、自分の気持ち次第だからです。**自分さえ踏み込む勇気があるなら、それだけで十分**なのです。したがって、どんどん恋愛すればいいと思います。

問題は、その勇気が出ないということなのでしょう。ただ、これもどうして勇気が出ないのか考えれば、簡単に解決できるように思います。これは年齢にかかわらず当てはまることだと思うのですが、ある種の自立心がネックになるのです。そのことをフロムは、**一人でいられる能力**と呼んでいます。

もし、自分の足で立てないという理由で、誰か他人にしがみつくとしたら、その相手は命の恩人にはなりうるかもしれないが、二人の関係は愛の関係ではない。逆説的ではあるが、一人でいられる能力こそ、愛する能力の前提条件なのだ。（前掲書、P167）

愛とは独立し、自立した人間同士の対等な関係なのです。どちらか一方が相手に頼るようでは、愛は成り立たない。フロムはそう考えます。彼は逆説的といっていますが、決してそんなことはないと思います。愛は互いを支え合い守り合うことですから、そもそも自分自身がしっかりしていないと、成立しないわけです。

ここで先ほど触れた自信の話に戻りたいと思います。年を取ると、どうしても自信がなくなってくるものです。体力の衰えや、社会的地位がなくなるといった客観的状況のせいでしょう。しかしそれはうわべだけの現象に過ぎません。人間の精神はいつまでも成長を続けますし、過去にやってきたことは消えることもないのです。だからもっと自信を持つべきだと思います。男や女としての自信というよりも、**一人の人間としての自信**を。それが愛のための自立心につながっていくのです。

●積極的な人は恋愛に近づける

もちろん自信は、過去の栄光だけから生じるものではありません。今やっていることも大きな影響を与えます。別に仕事でなくてもなんでもいいのです。地域活動やボランティア活動をしているとか、周囲の人たちを取りまとめているとか、運動をしているとか。**生産的であるだけで、人は魅力を増す**ものです。フロムはそのことと愛を直接的に結び付けています。

人を愛するために精神を集中し、意識を覚醒させ、生命力を高めなければならない。そして、そのためには、生活の他の多くの面でも生産的かつ能動的でなければならない。愛以外の面で生産的でなかったら、愛においても生産的にはなれない。（前掲書、P191）

つまり「何事にも生産的に取り組める人が、愛にも生産的に取り組める」ということです。いわば愛にはバイタリティが必要だということなのでしょう。きっと多くの方が賛同してくださると思いますが、仕事をハードにこなし、趣味もしっかりやるというような人が、きちんと恋愛をしているものです。いったいどこに時間があるのかと思いますが、人が何かをする際のエネルギーの源は同じなのです。

だから**年を取っても、何事にも積極的に取り組む人は恋愛もできる**のだと思います。反対に、恋愛できないという人は、今やっていることすべてに関して、もっと積極的になればいいだけのことです。そうすれば自然に恋愛に近づくはずですから。

皮肉なことに、モテようと思っている時はモテず、何か別のことに専念している時に限ってモテるのです。ただこれは偶然ではありません。モテようと外見ばかり気にしているような時は本当の人間的魅力が見えてこず、他のことに専念している時にこそ生命力があふれ出るのでしょう。だから魅力的に見えるのです。

ちなみに、これまであたかも独身者が恋愛をするという前提で話をしてきましたが、既婚で配偶者のいる高齢の方も恋愛することは可能です。**配偶者と恋愛すればいい**のです。夫婦も年を取ると親友のようになるものです。欧米ではよく手をつないで歩く老夫婦を見かけたりします。日本の老夫婦も文化的な違いからか手こそつなぎませんが、割と仲睦まじくなるように思います。

若いころは仕事や子育てに忙しく、お互いぶつかり合うことが多いかもしれませんが、落ち着いてくると互いをいたわる気持ちが芽生えてくるのでしょう。だからもう一度恋愛すればいいのです。

フロムは恋愛を能力だといいますが、私は素晴らしい能力だといいたいと思います。そんな素晴らしい能力を与えられているのですから、ぜひ死ぬまで恋愛を続けましょう。**恋愛に引退はありません**。そう思うとなんだかワクワクしてきませんか？

第4章

人生の哲学

何かしら趣味を持つべきか？
――ラッセルの幸福論

仕事を引退して自由な時間を手に入れたシニアの中には、暇を持て余している方もいるかもしれません。新しい趣味を始めたいけれど、体力面や経済面でなかなか踏み出せない方もいると思います。それでも何かしら趣味を持ったほうがよいのでしょうか？　イギリスの哲学者バートランド・ラッセル（1872～1970）は著書『幸福論』の中で、趣味を持つことの重要性について述べました。幸福になる方法の一つとして趣味を挙げているのです。

●趣味が多いほど人生は豊かになる

人生を豊かにするものは何か？　**ラッセル**にいわせると、それは趣味を持つことです。**趣味を持つことで幸福な人生が送れる**というわけです。ちなみにラッセルの趣味は、川を収集することだそうです。世界のさまざまな川を下ることに喜びを感じるといいます。つまり川下りの経験を収集しているということですね。そのように捉えると、川下りがいかにも切手収集のような趣味に聞こえてきます。

切手収集は趣味の王道ですが、ラッセルはまさにその切手収集を趣味にしている数学者の例を挙げています。その数学者は、研究に行き詰まるたび、切手収集に時間を費やすそうです。あたかも人生の時間を数学と切手収集とに二等分するかのごとく……。

このように人は、**仕事や人生の行き詰まり、苦しみを趣味によって紛らわせている**ということです。何かに熱中し、たくさんの趣味を持てると人生は豊かになり、幸福になる度合いを増すのです。

そんな趣味のことを、ラッセルは「私心のない興味」と表現します。あるいは、こんなふうにも説明しています。

私が本章で話題にしたいのは、そういう、ある人の生活の主要な活動の範囲外にある興味である。（『幸福論』岩波文庫、P243）

たとえば、専門家が自分の仕事に関係のない分野の本を読むことは、私心のない興味の典型だそうです。自分の利益や損得に関係なく純粋に楽しめるものだからです。私も哲学以外の本は割と純粋に楽しんでいるので、よくわかります。

ラッセルのいう私心とは、やましい心ということなのでしょう。これをやっておけば仕事に役立つとか、一石二鳥だとか。いわば趣味に対して下心があるということです。それでは趣味を純粋に楽しむことができません。

●趣味は心を満たしてくれる

ラッセルはほかにスポーツ観戦、観劇、ゴルフなどを挙げていますが、いずれもその道のプロでない限りは、仕事とは関係のないことだと思います。こうした**仕事と関係のない趣味を持つことで初めて、様々な効用が生まれてくる**のです。ラッセルはそれを三つに分類しています。順番に見ていきましょう。

一つ目は**気晴らしになる**ということです。日頃緊張を強いられる仕事と関係ないことをすると、気晴らしになるのです。それは一晩寝るのと同じ効果があるといいます。

二つ目の効用は、**釣り合いの感覚を保つ**ということです。これは主に、仕事とのバランンスを取ることに関係しています。ラッセルから見ると、どうしても私たちは仕事がすべてであるかのように思ってしまう傾向があるようです。特にワーカホリックになりがちでまじめな日本人にはよくある話です。そして気づけば過労状態になっているのです。

世界は楽しいことに満ちているにもかかわらず、仕事だけに心血を注ぐのはとてももったいないことです。だからラッセルは、こう主張するのです。

この世界は、あるいは悲劇的、あるいは喜劇的、あるいは英雄的、あるいは奇怪または不思議な事物にみちあふれている。そこで、世界の提供するこの壮大なスペクタクルに興味を持てない人びとは、人生の差し出す特典の一つを失っていることになる。（前掲書、P246〜247）

今は70歳くらいまで仕事をするのが当たり前になりつつありますが、同時に趣味を楽しむべきです。そうでないと、せっかくの面白い世界を見逃してしまいかねません。**世界の大きさ、人生の面白さは自分がそれをどう見るかにかかっている**のです。そしてその視野を広げてくれるのは、ほかでもない趣味なのです。

●苦しみから抜け出すために趣味を持つ

三つ目の効用は、なんと**悲しみを紛らわせる**ということです。私にとってこれは一番意外で、それでいて一番納得のいくものでした。例えば、愛する人が亡くなると、人は悲しみに打ちひしがれます。しかし、いつまでも悲しんでいると余計に苦しくなります。そんな時、何か自分の気持ちを外に向ける趣味があれば、心のバランスを取ることができるというのです。

つまり、**悲しみから目をそらす契機が必要**なのです。ラッセルは、趣味を持つことを生きる知恵として捉えているのでしょう。人間は弱い生き物ですから、苦しみから抜け出すためには、趣味に限らず何かのきっかけが必要です。何もないと私たちは主観の穴に閉じこもってしまって、そこから抜け出せなくなるのです。まったく外に目を向けることなく、自分の思い込みだけにとらわれてしまう状況です。ラッセルはその状態を**自己没頭**と呼んで非難しました。

彼のいう自己没頭は、不幸の原因なのです。幸福になるためには、主観の反対で**客観的**

な生き方が求められるというわけです。それを可能にするのが、趣味にほかなりません。しかもラッセルは、**その趣味は「本物の客観的な興味」でなければならない**といいます。いったいそれはどうすれば得られるのか？　ラッセルはこう答えています。

> **あなたが自己没頭の病気に打ち勝ったあかつきに、心の中にどんな客観的な興味がわいてくるかは、あなたの性質と外部の事情の自然な働きにまかせるよりほかはない。**（前掲書、P270）

つまり「客観的な興味」というのは、他人の興味に自分を合わせるのではなく、自分の中に自然に湧き上がってきた本当にやりたいことや、本当に知りたいことについての興味です。その興味に従って生きるというのが、客観的な生き方ということです。その意味では、趣味は探すものではないのかもしれません。私たちはつい趣味を探そうと躍起になりますが、それでは本物とはいえないのです。むしろ**好きなことが高じて初めて、結果として趣味になる**のでしょう。そうでないと、気持ちを外に向けることは困難です。打ち込めるものは、やはり自分の好きなことであるはずですから。これこそが本物の客観的な興味にほかなりません。

人生のどの段階においても、趣味が大事だということには変わりありません。ラッセルの説く理屈は、若い人にも当てはまることです。でも、老年期を迎えようとしている人、そして今まさに老年期にある人にとってはより重要なことだといえるのではないでしょうか。なぜなら、**老年期はおのずと仕事よりも趣味の比重が大きくなる**からです。

生涯現役とはいえ、仕事にかける時間やエネルギーの割合は、一般に少なくなっていくはずです。それよりも、健康や人生のバランスを考えることが多くなると思います。そうすると、趣味に費やす時間やエネルギーは必然的に増えていきます。仕事を引退すればなおさらでしょう。

そんな時、いきなり趣味を持つというのではリスクが高いといえます。仕事を引退する少し前から準備しておくのに越したことはありません。それになんでも早く始めた方が、楽なのは間違いないでしょう。

ラッセルの理論に基づけば、その趣味も多ければ多いほどいいわけです。一つのことに集中するのもいいですが、なんらかの理由でその趣味が継続できなくなるリスクも考慮する必要があります。趣味は人生の一部ですから、人生のほかの要素と同じく、リスクヘッジが求められます。

リスクといえば、ラッセルはもう一つ大事なことをいっています。**趣味に熱中するのは大事なことだけれども、同時に中庸を心がけなければならない**というのです。なんでもそうですが、熱中しすぎてバランスを崩してしまっては元も子もありません。だから彼は、趣味は枠の中に収まらなければならないと釘をさします。

具体的には、四つの枠を挙げています。一つ目は健康、二つ目は人並みの能力があること、三つ目は必需品が買えるだけの収入、四つ目は妻子への義務といった最も基本的な社会的な義務です。たしかに、趣味に熱中しすぎて健康を損なったり、本来の能力を発揮できなくなったり、お金を使いすぎたり、家族に迷惑をかけたりするようなことがあってはいけません。

あくまで幸福になるための手段ですから、趣味のせいで不幸になってしまっては笑うに笑えません。常に目的は幸福であることを忘れないように楽しむのが一番だと思います。老年期を幸福に過ごすためにも、中庸を意識しつつ、どんどん趣味を広げていきましょう！

お金とどう向き合っていくべきか？

――ジンメルの貨幣の哲学

社会生活を送るうえでお金は欠かせません。お金の問題は一生ついて回りますし、仕事を引退した老後もそれは同じです。私たちはお金とどう向き合っていけばいいのでしょうか？ ドイツの哲学者ゲオルク・ジンメル（1858〜1918）は、『貨幣の哲学』という著書を残しています。ここでは、ジンメルの思想を通してお金の本質にまでさかのぼることで、人生におけるお金との付き合い方について考えてみたいと思います。

●人はお金の有無で判断される

老後の不安といえば、健康と同じくらい、いやそれ以上に頭をよぎるのがお金ではないでしょうか。一般には60代で定年になりますし、70代にもなると稼ぐ力がなくなってくるのはたしかです。

そこで国家は、年金というかたちで高齢者の生活を保障する仕組みになっているわけです。でも、年金だけでは望むような幸福が得られないのが現代社会です。命長き時代、だからこそ皆不安になるのです。年を取って仕事がなくなると不安が高まるというように、お金に対する不安は、自らの社会的地位に反比例しているといえるでしょう。

ただ、お金という発明は、そもそも立場にかかわらず人間を強くしてきた側面もあります。そういう両義性のある存在なのです。**ジンメル**は貨幣、つまりお金と人間の関係について「近代文化における貨幣」という論考の中でこんなふうにいっています。

> **貨幣は、一方では以前には知られていなかったあらゆる経済活動の非人格性を生み出し、他方では同じように強化された人格の自立性と独立性を生み出した。**（『ジンメル・コレクション』ちくま学芸文庫、P264）

「**その人がどんな人であれ、お金さえ持っていれば個人として対等に扱われるようになった**」ということです。それは現代社会においても変わっていません。肉体的に劣る高齢者であったとしても、お金を持っていれば対等なのです。いや、よりたくさんお金を持っていれば、より大きな力を持っているかのようにさえみなされます。

海外のドッキリ動画に、軽蔑されていた貧乏人が実はお金持ちで、正体がわかったとたん周りの人がチヤホヤしだすというものがあります。人間の心理を象徴していて、とても興味深いものです。

とかく**人はお金の有無で判断される**のです。とりわけ高齢者の場合、肉体的にも劣るとみなされていることから、お金があるのとないのとでは、社会的地位がまったく変わってきます。その結果何が起こるかというと、**分断**です。

まずお金を持っている人たちと、持っていない人たちとの間で分断が起こります。ジンメルは、そこから生じる富裕層の「尊大さ」を指摘し、問題視しています。次に、すべての個人間での分断が起こります。なぜなら、頼るべきものは他者や集団ではなく、自分の持っているお金になってくるからです。

●お金があっても人の心は買えない

「お金があれば何でも買える」という発想は、いまやあらゆるサービスに拡張しているといっていいでしょう。

老後の世話も家族や地域社会が担うものではなく、介護施設などの**お金で買えるサービス**が取って代わろうとしています。そうした風潮について、ジンメルはこう主張します。

> **まさにこうした関係が必然的に強い個人主義を生み出す。人間関係を疎遠にし、すべての人を自己省察に導くのは、他者からの孤立ではなく、あくまで他者への関係なのだ。**（前掲書、P270）

ここでジンメルは、お金によって生じる他者との関係が強い個人主義を生み出すと同時に、人間関係を疎遠にさせることを指摘しています。

もっとも、それは孤立ではないといいます。たしかにお金さえあれば、孤立はしません。お金で人を惹きつけることは可能だからです。でも、濃密な人間関係を築くことはできないのです。そこにあるのは、他者に無関心な匿名の関係だけなのです。

先程、お金があれば何でも買えると書きましたが、**人の心だけは買えない**ということです。

お金で買えるのは、表面的なものだけです。いや、これは人の心に限ったことではないかもしれません。私たちはお金で何でも買い、その対象を手に入れているつもりですが、もしかしたら本当は手に入っていないものもあるのではないでしょうか。だからいつまでたっても満足できない……。

ジンメルもお金がもたらすそんな病理的側面を指摘していました。

私たちは、ある対象に見合う貨幣価値を手にすると、あたかもその対象そのままの、あますところない等価物を所有しているかのように、あまりにも安易に信じこんでしまう。ここに、私たちの時代の疑わしい性格、不安や不満の根深い根拠があるに違いない。（前掲書、P275）

つまり、「私たちは物の値段を安易に信じ込んでしまうので、あたかもその物の価値がその金額と等しいかのように思ってしまう」ということです。本当はそうではないかもしれないにもかかわらず。その事実が少しでも露呈すると、途端に疑念が生じ、不安に駆られ、不満が生じます。

何でもお金で買えるということは、何でもお金に換算可能で、いわばお金で表現できるということを意味します。でも、はたして本当にそうなのでしょうか？　ジンメルはそうは考えないのです。**お金はあくまで量的なものであって、質的なものではない**からです。

ということは、何かを手に入れたとしても、質の部分でまだ手に入っていないものが必ず残ります。時に私たちがプライスレスという言葉を使ったり、経験をお金に換えがたいものとして捉えたりするのはその証左です。**いくら欲しいものをお金で手に入れたとしても、常に何らかの不安や不満が残る**ということです。貨幣が流通し、お金を中心に世界が回るようになった近代以降、人々が漠然とした不安と共に生きざるを得ない状況に陥ったのはそのせいだといいたいのでしょう。

●お金は最終目的ではなく、目的のために使うもの

個人の問題に引き付けていうなら、いくらお金を持っていても、またいくらお金で物やサービスを手に入れても、根本的な不安はなくならないということです。むしろお金にこだわっている限り、その不安は増大していくといってもいいでしょう。

ではどうすればいいのか？　そこでジンメルはお金の本質に戻ります。お金はもともと手段に過ぎませんでした。それがいつの間にか最終目的であるかのように勘違いする存在へと変貌していったのです。そこにすべての問題の根源があります。

だからこそ、もう一度手段としてのお金の存在に立ち返ろうとします。

そうしてジンメルは、「**貨幣は何といっても最終的な価値への橋渡しにすぎず、しょせん人間は橋のうえに住みつくことはできない**」と喝破したのです。

この言葉には、二つのメッセージが込められているように思います。一つ目のメッセージは、お金は橋だということ。だからその先に必ず目的地があるわけです。この橋という喩えが秀逸ですよね。橋は目的地に向かってかけるものですから。また、渡るものであって、とどまるところではありません。つまり、**お金も橋と同じで目的のための手段**だということです。

二つ目のメッセージは、もう一度人生の最終目的をよく考えよということだと思います。自分はなぜお金を稼いでいるのか、お金を貯めているのか。そこが曖昧なままだと、不安が高まるだけです。

高齢者の場合、ただ不安だからとお金を貯めがちですが、その行為がまさに不安を増殖させているのです。お金を使わずに貯めたまま死ぬわけにはいきません。また、残す必要があるかというとそうでもないのです。残してもらった人はうれしいでしょうが、それはお金の本質に鑑みれば降って湧いたもので、交換価値として手にするものではないのです。莫大な遺産を残すと、相続で手にした人を尊大にしますし、格差を生み出すという意味で社会にとっても必ずしもいいことだとはいえません。

そう考えると、**お金はその都度目的のために使った方がいい**ということになります。ぜひ高齢者だからとお金に対して臆病になるのではなく、若いころと同じよう有意義な使い方をしていただければと思います。私も老後に備えてお金を貯めなければならないという強迫観念にとらわれていましたが、ジンメルの貨幣論を読んで以来、決してそうでないことに気づきました。

それよりも大事なことは、**計画的にお金を使うこと**です。そして人生の最期、お金を使い切らなかったことを後悔するのではなく、ましてやお金が足りなかったことを嘆くのでもなく、お金をうまく使ってその都度の目的を実現してきたことに、満足を覚えて安心したいものです。人生最期の日に、ちょうどお金を使い切ることができたら最高ですよね。

眠れない時はどうすればいいか？
――ヒルティの神の賜物

なかなか眠りにつけないとか、眠りが浅くなったとか、睡眠に関する悩みを持つ方は多いと思います。それは加齢によるものだけでなく、精神的なストレスが原因ということもあります。満足に眠れない時は、健康のために頑張って眠ろうとすべきなのでしょうか？ スイスの哲学者カール・ヒルティ（１８３３～１９０９）は、むしろ「眠れぬ夜を活用せよ」といいます。そんなヒルティの睡眠に関する哲学を参照しながら、睡眠の意義と眠れない時の対処法について考えてみましょう。

●質のよい眠りで心をリセットする

年を取るとあまり長く眠らなくなるとか、早寝早起きをするようになるといいますが、あくまで平均的な話だと思います。慢性的に睡眠の悩みを抱えている人の話をよく聞きますし、普段は大丈夫でも心配事があると寝られないという人は多いのではないでしょうか。また、年を重ねるにつれそれなりに心配事も増えます。そのせいでよく眠れなくなると、健康にも影響が出てくるでしょう。

ヒルティは、『眠られぬ夜のために』という本を出しているくらい、睡眠や不眠について深い考察を展開しています。彼によると、睡眠は健康にいいだけでなく、もっと大きな効果をもたらすといいます。

よい眠りのあとでは、ものごとが全く違って見え、前の晩には、まるで行く手をはばむ巨人のように思われた難事をも、笑いたくなるものである。

（『眠られぬ夜のために』岩波文庫、2巻P111）

そう、皆さんも経験があると思いますが、**寝るだけで解決することは割と多い**のではないでしょうか。まるで前の日の夜とは世界が変わってしまったかのような心地さえすることがあるものです。いや、もしかしたら本当に世界が変わってしまっているのかもしれません。英語のことわざに、「Tomorrow is another day.」というのがありますが、まさにその通りで、明日は別の日なのです。だから心配しなくていいということです。

その別の日をもたらすのが、睡眠にほかなりません。地球が自転したり公転したりして、別の状況を作り出しているのは間違いないでしょう。現に暗い夜から、明るい朝がやってくるのですから。でも、それ以上に私たちの心の中の新しい状況が重要なのです。

では、なぜ眠ることで行く手をはばむ巨人を笑えるようにまでなるのか？　なんといってもそれは**心のリセット**にあるのだと思います。睡眠は心の整理をもたらします。夢にはそうした機能があるといわれます。いわば夢の中で納得し、折り合いをつけているのです。だから質のいい眠りが求められるわけです。

●眠れない夜は、人生を考えるチャンス

問題は、常に質のいい眠りを得られるわけではないということです。とりわけうまく寝つけないような時には。これについてもヒルティはヒントになることを述べてくれています。

安らかな眠りを得るのに最上の道は、実にしばしば、善良な行為、確固たる良い計画、ざんげ、改心、他人との和解、将来の生活のための明瞭なよい決意などである。（前掲書、1巻P15）

たしかに**ぐっすり眠るには、気がかりなことがあってはいけません**。そのためには、ヒルティのいうように、いい行いをするというのが一つの方法なのでしょう。気持ちよく寝られそうです。しっかりと計画が立てられているのも安心ですね。また、仮に悪いことをしても、しっかりと反省し、心を改めることができれば、落ち着きます。人間関係は一番気になるところですが、だからこそ和解が必要なのでしょう。

何より、将来のことが気がかりではおちおち寝ていられません。この最後の決意というのは大きいように思います。

寝るということは、その日一日に終止符を打つということです。それは「もうこれでいい」と思える状態を指すといってもいいでしょう。その「これでいい」というのは、決意にほかなりません。今日はここまで、明日はこうしようという決意です。

逆にいうと、なぜか**眠れない時というのは、その決意が曖昧**なのかもしれません。自分では決意したつもりが、心の底で気になっている状態です。そんな時はどうすればいいか？ なんとヒルティの助言はあまりにも逆説的です。寝なくていいというのです。

眠ることを勧めるはずの本で、寝るなとはいったいどういうことなのか。ヒルティがいわんとするのは、**無理に寝るのではなく、むしろ眠れぬ夜を活用せよ**ということです。実は眠れぬ夜に自分の生涯の決定的な洞察や決断を見出した人はたくさんいるそうです。彼は自信を持ってこう断言します。

だから、眠られぬ夜をもなお「神の賜物」と見なすのが、つねに正しい態度であろう。それは活用さるべきものであって、むやみに逆らうべきではない。（前掲書、1巻P9）

眠れない時はつい無理に寝ようと努めますが、なかなかできないのです。というのも、眠れないのには理由があるからです。だとするならば、むしろそれを**人生の転換点と捉えて、積極的に活用すればいい**というわけです。

思い起こすと、私が哲学者になると決めたのも、そんな眠れぬある夜のことでした。当時は昼間働きながら、夕方から大学院に通っていました。何年かそんな生活を続けるうちに、哲学の研究者を目指したくなったのです。でも、普通に考えるとそれはとても難しいことでした。哲学者への道は、昼間別の仕事をしながら目指せるほど甘いものではなかったからです。

周囲からも反対され、諦めようと思ったその夜でした。布団に入ってから何時間たっても眠れず、ついに机に座り直して、人生プランを描き直しました。そうしてやはり哲学者になることを決断したのです。細かい問題はいろいろありましたが、とにかくそっちの方向に進むことを決めたわけです。

●自分を愛してくれる人に相談せよ

ヒルティも、こういう時はいずれの方向に進むべきか考える時間にせよといっています。面白いのは、その際、**自分自身に相談してはいけない**としている点です。なぜなら迷える自分にいくら問いかけても、答えなど出るはずがないからです。自分で考えるのだけれども、自分に相談するなどというのは、一見矛盾しているようで、まさに正鵠《せいこく》を射たアドバイスです。

誰に相談すればいいかというと、**自分を愛してくれる人たち**です。親、兄弟姉妹、親友、配偶者、恋人……。夜中にそういう人たちに電話しろというのではありません。**そういう人たちに相談するかのように考えよ**ということです。その意味では、すでに亡くなってしまった人でもいいのです。私の場合は祖母です。常に人生の相談に乗ってくれていた育ての親でもありますから。あの時も思い浮かべたのは祖母の言葉でした。人生の岐路に立つたび、常に背中を押してくれた人です。大丈夫、きっとできると……。

年を取るとだんだん相談する相手が少なくなっていくのは事実です。でも、心の中にはそういう人たちがいつまでも生き続けているはずです。私は今も亡き祖母に語りかけています。そして励まされているのです。

自分を愛してくれる人たちは、問いかけに対し、最大限自分のことを想って応えてくれるものです。必ず自分にとってプラスになるような、そして自分を決して傷つけることのないアドバイスをしてくれるに違いありません。

もっとも、誰もがそのような人を心に思い浮かべることができるとは限らないでしょう。

ヒルティはその場合、**良い書物**が役立つといいます。たとえ直接的な答えにはならなくても、何かヒントになるようなことが見つかるはずです。だから枕元には常に愛読書を置いておくことをお勧めします。

悩んでいる時、私たちにはちゃんと答えは見えているのです。見えていないのは、その答えをすでに選んでいる自分にほかなりません。だから誰かに気づかせてもらう必要があるのです。それが書物の役割の一つといってもいいでしょう。書物は自分の心の鏡なのです。

今の私にとってはいくつかの哲学書が相談相手になっています。とりわけ人生をテーマにしたエッセイのような哲学書は、勇気づけられる言葉に溢れています。選ぶ基準は、ハッとする言葉がいくつかあるかどうかです。もしそうなら、それは気づきを与えてくれている証拠です。もちろんヒルティの本もその一つになると思います。そして本書もまた、誰かの眠れぬ夜の決断に役立つことを願っています。

希望を持って生きるには？
——三木清の人生論

あなたはどんな希望を抱いていますか？　あるいは「希望がない」という方もいるかもしれません。希望とはすなわち将来に対するさまざまな明るい期待のことですが、希望を持って生きていくにはどうすればいいでしょうか？　戦前の京都学派の哲学者である三木《み き》清《きよし》（1897〜1945）は、まさに希望と生きることとを重ね合わせた人物です。彼の著書『人生論ノート』から、豊かな人生を送るための方法を学んでいきましょう。

●希望は生きるための力

一つの哲学的なテーマについて市民がじっくりと考える「**哲学カフェ**」という活動があります。私は長年その活動に従事しており、カフェや公共スペースにてファシリテーター（司会者）として対話を導いてきました。ある時期から、もっと様々な人たちと様々な場所で対話したいと思い、映画館や離島、デイケアセンターなどで哲学カフェを開催しました。デイケアセンターで行った時、ちょうど希望をテーマに語り合いました。参加者は皆デイケアセンターに通われている高齢者の方ばかり。その参加者たちが一様に口にしたのは、希望を持つことの大切さでした。それが生きる原動力になっているというのです。もちろん内容は千差万別でしたが、希望のない人はいませんでした。**人間は生きている限り希望を持つ存在**なのかもしれない。その時改めてそう感じたのを覚えています。

三木清は『人生論ノート』の「希望」について論じた箇所で、こういっています。

> **人生は運命であるように、人生は希望である。運命的な存在である人間にとって生きていることは希望を持っていることである。**
>
> (『人生論ノート』新潮文庫、P145)

人生には偶然と必然の両方の要素があります。人はそれを運命と呼ぶわけです。その意味で、人生は運命だといっていいでしょう。他方、希望とは、偶然性に委ねられる人間が、それでも決して失われることなく必然として存在し続けることです。だから希望は運命に似ているといえます。そこで三木は、**人生は運命であるのと同じように希望でもある**と結論づけたのです。

そういわれてみると、私も常に「なんとかなる」「奇跡が起こる」といったように希望を持って生きてきたような気がします。誰でもそうなのではないでしょうか？　先ほどのデイケアセンターの高齢者たちもそうでした。たとえどんな重い病を抱えていても、どんなに孤独でも、そしてもう余生が残り少ないとわかっていても。

ただ、三木にいわせると、希望は単なる望みとは異なります。何かを得たいとか、こうなりたいなどというのは、単なる望みであって、それは欲望、目的、あるいは期待と変わらないというのです。希望とは何が違うのか？　それは失われる点です。欲望も期待も失われ、消えてなくなることがあります。でも、**希望は決して失われず、生きている限り残ります**。なぜなら人生と希望はイコールなのですから。逆にいうと、希望がなくなってしまった時、人は死んでしまうのかもしれません。

だから希望は失われるものではなく、常に作り上げていくものだといっていいでしょう。ないから作る。しかも、希望が心の中の産物である限り、物質的な材料は必要ありません。自分の気持ち次第でいくらでも作ることができるのです。だから三木はこういったのです。

「**希望は生命の形成力であり、我々の存在は希望によって完成に達する**」と。

希望を作ることで生命を形成していく。しかも、希望は形成力という力、いわば生きるための推進力でもあるわけです。

●現実的に断念して前進する

では、いったいどうすれば人は希望を形成することができるのか?

それは三木の思想の根本にある**構想力**という概念に着目するとよくわかると思います。三木のいう構想力は、ロゴス(論理的な言葉)とパトス(感情)の根源にあって、両者を統一し、形をつくる働きだと説明されます。つまり、**人間が時に理屈で考えながら、時に感情に任せて何かを求める行為**、それこそが構想力にほかならないのです。

したがって、希望を形成する時も、私たちはまず感情に任せて突き進むと同時に、理屈で考えて現実的になっていくのだと思います。そうでないと前に進むことはできません。希望の目的は生きることですから、前に進むことが重要なのです。たとえ表面的には諦めたかのように見えたとしても。三木はそのことを「**断念**」という逆接的な言葉で表現しています。

断念することをほんとに知っている者のみがほんとに希望することができる。何物も断念することを欲しない者は真の希望を持つこともできぬ。（前掲書、P150）

たしかに、物理的に無理なことについては、断念することでしか前に進めません。希望を単なる理想として終わらせるか、生きるための推進力として活かすかは、**断念できるかどうか**にかかっているということです。実は三木自身、妻との死別、スキャンダルによる仕事での挫折、思想犯としての検挙、戦争というどうしようもないものに翻弄されながら、それでも生きようとあがいてきた哲学者でした。だからこそ断念することと希望を結び付けることができたのでしょう。それは決して失敗でも不幸なことでもないのだと。

●失敗を経て人生が開けてくる

同じ『人生論ノート』の中で、三木は成功についてもテーマにしています。そこで彼が強調しているのは、**「不成功＝不幸」ではない**ということです。人生は冒険のようなものであって、必然的に成功も不成功も生じるのです。それらすべてひっくるめて人生なのであって、もし成功だけが人生であり幸福の原因なのだとしたら、人生はなんともつまらないものになってしまうではないか、というのです。

彼が痛烈に皮肉っているのは、成功主義者の人生です。

Streber《シュトレーバー》――このドイツ語で最も適切に表わされる種類の成功主義者こそ、俗物中の俗物である。他の種類の俗物は時として気紛《きまぐ》れに俗物であることをやめる。しかるにこの努力家型の成功主義者は、決して軌道をはずすことがない故に、それだけ俗物として完全である。（前掲書、P85）

「**成功だけを目指し、そのためだけに努力する人生。それこそ完全な俗物である**」というのです。そういう人はひとたび失敗すると、もう人生が終わってしまいます。ほかに人生を支えるものがないからです。仮に一度も失敗せず出世し続けていたとしても、不思議なことにそのような人生が哀れに見えることがあります。それはやはり人生が豊かさを欠いているからではないでしょうか。

人は失敗から学ぶものです。失敗してはいけないと思われがちですが、そうではないのです。三木は不成功は問題ないといっているわけですから、そもそも**失敗は否定的なものではない**のです。ただこの人生には、うまくいかないことがあるというだけのことです。そのうまくいかないことをいくつか経験して、初めて人生は開けてくるのだと思います。

言い換えると、**断念した回数が多いほど、それだけ真理に近づける**ということです。三木がいう通り、断念は諦めることではなく、本当に自分が求めるもの、希望の中の希望に近づくための方法なのかもしれません。それに気づいた人、そしてそれを実践できた人だけが喜びの中で人生を終えることができるのでしょう。その場合の死は、希望を失ったゆえの無念な死ではなく、希望と共にある死だと思うのです。

三木はその境地に達していたといえます。戦争のせいで投獄された三木は、そのまま獄死してしまいます。ただ、病床で彼は気づいていたはずです。**すべてを断念せざるを得ない状況に追い込まれたにもかかわらず、哲学だけはすることができる**。それこそが自らの希望なのだと。

三木が最期に本当にそう思ったのかどうかは定かではありません。48歳という若さで亡くなっているのですから。

でも、ある経験が私にそう確信させました。シンガポールを拠点に活動するアーティスト、ホー・ツーニェンが、京都学派の哲学者たちを扱った「ヴォイス・オブ・ヴォイド—虚無の声」という体験型の展覧会を開きました。私はその中でVRを装着して獄中に横たわる三木清と一体化する経験をしたのです。目の前で三木がつぶやくのを聴いているうちに、自分自身が三木にシンクロしたかのような錯覚を覚えました。その時、こうやって横たわりながらも、哲学することをやめなかった彼のそばには、希望もまた横たわっていることを肌で感じたのです。

きっと最後の最後まで、三木は思索を続けていたに違いありません。そうやって最期の瞬間まで思うことができるもの。それが希望の対象なのでしょう。人生を輝かせることができるのは、その人にとっての希望の光だけです。だから自分にとって今何が希望なのか考えることは、とても大切なことなのです。

本当の生きがいとは何か？
――アリストテレスのエウダイモニア

あなたにとって、生きがいと呼べるものは何でしょうか。趣味でも家族との時間でもなんでもよいのですが、生きがいを持っている人は充実した人生を送れることでしょう。では、その生きがいとはいったい何なのか？　古代ギリシアの哲学者アリストテレス（前384～前322）は、生きるための究極の目的として「エウダイモニア」という概念を唱えました。エウダイモニアは実質的に生きがいのことと考えられますが、この概念を通して自分自身の生きがいを見つめ直してみましょう。

●生きがいとは何か

生きがいは「生き甲斐」と書きますが、甲斐とは値打ちのことなので、生きがいを持っている人は生きる値打ちを知っているということになります。逆に、生きる値打ちがわからなくなった人は、日常を楽しむことができません。だから生きがいが求められるのです。ただし、何に値打ちを見出すかは人それぞれですから、**生きがいはそれぞれが見つけなければならない**わけです。予め与えられるものでも、誰かから譲ってもらえるものでもありません。人生の中で見出していかなければならないのです。そこが最も困難な部分です。

そもそも何が自分にとって生きがいなのかわからないし、いったいどうやってそれを探せばいいのか。この二つの問題を解決しなければなりません。

すぐ思い浮かぶのは、快楽を得られるものを手に入れることではないでしょうか。**アリストテレス**は、**一般の人にとっての幸福は快楽**だといっています。そしてそうした一般の人たちの生活を次のように三つに分類しています。

彼らの好む生活が享楽《アポラウスティコス》的なそれだといえる所以である。けだし、およそ主要な生活形態に三通りがあるのであって、いまいうごとき生活と、政治《ポリティコス》的な生活と、第三に観照《テオレーティコス》的な生活とがそれである。（『ニコマコス倫理学』岩波文庫、上巻P26）

享楽的な生活においては、物質的な快楽が求められるのでしょう。政治的な生活とは社会生活のことだと思ってもらえばいいのですが、そこでは名誉や徳を求めるといいます。観照的生活というのは少しわかりにくいですが、知性を使って知を追い求める営みのことで、哲学がその典型です。するとそこで求められるのは、知る喜びになるでしょう。

●「エウダイモニア＝生きがい」を手に入れる

したがって、生活の場面に応じて、こうした快楽を手に入れることができれば、誰しも幸福感を覚えることが可能だということになります。しかし、そうした生活で得られる快楽は**あくまで刹那的な幸福**であって、生きがいとは異なります。快楽は永続するものではありませんし、仮にそれが永続したとしても、本当にそれだけで生きる値打ちを感じられるかは別問題だからです。

逆にいうと、快楽が永続し、その快楽の永続こそが生きる値打ちだと心から思えれば、それはその人にとっての生きがいになるといえます。でもそれは、あくまでその人にとっての生きがいです。一般的にこれが生きがいだと定義するわけにはいかないのです。

そこで参考になるのが、アリストテレスが快楽と比較して論じている重要な概念、**エウ**

ダイモニアです。この語も幸福と訳されますが、先ほどの刹那的な幸福とは質の異なるものだといっていいでしょう。アリストテレスはこういっています。

残された仕事は幸福《エウダイモニア》に関する概観である。われわれは、事実、これをもって人間万般の営みの究極目的となしたのであった――。（前掲書、下巻P218）

食べるのは健康のため、健康は好きなことをするため、好きなことをするのはいい人生を送るため、いい人生を送るのは……。そんなふうにさかのぼっていくと、究極の目的が見えてくるのではないでしょうか。何から始めるにしても、最後は同じところに行き着くはずです。それがエウダイモニアにほかならないのです。

だからそれはもう**生きるための究極の目的であり、値打ち、つまり生きがい**だといえるわけです。エウダイモニアを生きがいと訳すのは無理があるかもしれませんが、実質的にそのように解することができるということです。

こうして比較してみるとわかると思いますが、幸福にはランクがあるのです。これがあれば幸せと感じたとしても、その上にさらに上位の幸福がある場合は、その幸福を手に入れない限り幸せになれません。その上位の幸福が何に当たるのかは人それぞれですが、自分がそう感じてしまった以上、生きがいを覚えるためにはそれを手に入れる必要があるのです。

そしてもうこれ以上はない、これが最上だと思えれば、その人は生きがいを手に入れたことになります。生きがいを手に入れた人は、いや正確にいうと自分にとって何が生きがいなのか気づいた人は、多少のことで一喜一憂せずに済みます。

つまり、**生きがいを手に入れた人は、周りの環境に踊らされることがなくなる**ということです。いわば主体的に生きていくことができるのです。人がなんといおうと、何が起ころうと、自分はこれを追求していく、あるいはこれを大切にして生きていくと思えるのですから。私も哲学をすることが生きがいだと気づいた瞬間から、ようやく自分らしく生きることができるようになりました。30代半ばのことでした。以来、幸福な毎日を過ごしています。

●老年期の生きがい

もちろん、人生のどこかの時点で生きがいが変わるということはあり得ます。その場合はまた最上のものを手に入れなければなりません。そうするといかにもきりがないようにも思えますが、そう簡単に上位のものが見つかるようなら、それはまだ生きがいとして完成していなかったのかもしれません。にもかかわらず、それこそが生きがいだと思い込んでいたのでしょう。

だからよく吟味する必要があるのです。**本当にそれが自分にとっての生きがいなのかどうか**。その見極めは難しいですが、アリストテレスが時間に関していっていることが一つヒントになります。

> **また、幸福は閑暇《スコレー》に存すると考えられる。けだしわれわれは、閑暇を持たんがために忙殺《アスコレイン》されるのであり、平和ならんがために戦争を行なう。**（前掲書、P225）

閑暇とは時間的余裕のことです。ここからわかるのは、「**生きがいを見つけるのには時間**

がかかる」ということでしょう。時間をかければ、吟味する時間も増えます。他の刹那的な幸福と比較しながら、本当にそれが究極のものなのかどうか見極めることができるからです。その時は幸福だと思えたことも、後から考えたらそうではなかったという経験を誰しも持っていると思います。そんな中で揺らぐことのない幸福があることに気づくのです。

もちろん、それが永続するという意味ではありませんし、その必要もないでしょう。生きていれば価値観や自分を取り巻く状況も変わってきますから。その意味で、**人生において生きがいが何度か変わるのは仕方ない**ように思います。

少なくとも、若いころと老年期では違ってくるでしょう。若いころは人生の先が長いですから、必然的に生きがいは夢と重なってきます。何かを成し遂げることが生きがいになるのです。

これに対して、老年期は若いころに比べるとやれることに制限が出てきます。そうすると、他者に対する希望が生きがいになってくるのです。とりわけ**次の世代に対して期待することが喜びであったり、目標になることがある**といえます。孫の成長が生きがいだというお年寄りの声をよく聞くのはその証拠です。

ここには自分から他者への転換が見られます。実はアリストテレスも指摘していることなのですが、エウダイモニアとは決して利己的なものではないのです。老年期に至らずとも、そもそも共同体に生きる私たちは、自分の幸福を他者の幸福と結びつけています。いや、結びつけざるを得ないのです。

はたして不幸な社会で自分だけが幸福でいられるでしょうか？　貧困に喘ぐ人たちや、戦争で傷つく人たちがいる中で、自分だけ幸せだと喜んでいられるでしょうか？　そう、**本当の生きがいとは社会的なもの**なのです。

皆さんも、世の中にかかわり、世の中の役に立った時、そうした生きがいのようなものを感じたことがあるのではないでしょうか。社会から恩恵を受けて生きてきた老年期の人の多くが、きっとそう思っていることでしょう。

だからそういう人たちにとっての生きがいは、社会を少しでも善くすることにつながっているのだと思います。引退して暇だから地域のボランティアをやるわけでも、年を取って人格者になったから公益に関心が出てくるのでもありません。長く生きると、世の中に貢献することが生きがいになっていくものなのです。

第5章

死の哲学

死に対してどう向き合えばいいか？
——ジャンケレヴィッチの死の対話

老いの先に何があるのか。それはすなわち死です。老いが否定的なニュアンスで捉えられるのは、心身の衰えなどよりも、死という人生にとって最大の謎が近づいているからかもしれません。私たちは死とどのように向き合っていけば良いのでしょうか？　フランスの哲学者ヴラジーミル・ジャンケレヴィッチ（1903〜1985）によれば、あえて死を割り切ろうとせず「ごまかす」のが良いといいます。

●死に対して割り切るのではなく「ごまかす」

そもそも死とはいったい何なのでしょうか。この最大の謎に様々な角度から光を当て、おぼろげながらにその実体を浮かび上がらせようと格闘した哲学者が、**ジャンケレヴィッチ**です。

彼が死について語ったインタビュー集『死とはなにか』には、まさに死の意味が哲学的に表現されています。たとえば、「連続と不連続に関する形而上学的問題」、「形の不在への移行」、そして「人間の運命における最大の謎」などというふうに。

そう、**死とは矛盾であり、不在であり、謎**なのです。生きているのに死なねばならない、そして存在がなくなってしまう。しかもそれがなぜ起こらねばならないのかは、誰も知りません。それが死です。だからこそ、生きている人間にとって、死はあくまで生のための概念たらざるを得ないのです。そうでないと、生きている意味がわからなくなってしまうからです。ジャンケレヴィッチはそんな死に対する態度を「**ごまかし**」と表現します。

ええ、私は私といつもごまかし合っています。だいたい、それだからこそ、死が生の内部で思考可能になるのです。私たちは突き詰めて考えることをしない。それは自分を守る一種の概算法です。

（『死とはなにか』青弓社、P26）

解けない謎にはまり込むのは、自分を苦しめることでしかありません。それは生きることへの障害になるのです。だとするならば、私たちはもはや死をごまかすべきで、それが自分を守るための概算法だというのです。**死をだいたいで受け止めておく**ということです。割り切ろうとしてはいけないのです。

とりわけ死は、割り切るどころか、目を背ける対象でさえあるといっても過言ではないでしょう。皆死んでいくのを目の当たりにしながら、なんの根拠もなく、自分にだけはそれは起こらないと思い込んでいるのですから。ジャンケレヴィッチはそれを、「**他人に死を割り当てる**」行為だといいます。死を他人事にしてしまうのです。

●最後の最後まで未来を諦めない

死はいつも誰かの死なのです。そうである限り、真剣に向き合うということはありません。しかし、自分に死が差し迫っている場合は、話は別です。酷い苦しみのせいで、死を意識せざるを得ないような場合です。**安楽死**はその一つといっていいと思います。ジャンケレヴィッチは安楽死についても果敢に議論を展開した稀有な哲学者です。

ジャンケレヴィッチによると、安楽死は自殺とは違い、あくまで医者の良心の問題だといいます。なぜなら、ふつう安楽死は医者によって行われるものだからです。でも、本来医者の仕事は、命を救うことのはずです。そこで彼は、人の命について、「**死んでいないひとは生きている、最後の一秒まで**」と強く訴えます。つまり、人の命を救うべき医者は、最後の最後まで諦めてはいけないということです。そこには時間と未来に関する信念ともいうべき彼の思想が横たわっています。

私は原則的に安楽死にイエスと言います。しかし、どんな場合でもイエスと言うのは、時間の力、未来の開放性・可能性の意味を見損なうことです。（前掲書、P93）

ジャンケレヴィッチは、このように現実的な観点から安楽死を肯定しつつも、**時間と未来に最後まで望みを託すべき**だと主張します。社会は、時間性と未来の開放性を信じなければならないと。人は時間の中を生きており、どんな病気も常に未来における治療の可能性に開かれているということです。

したがって、仮に私たちが絶望に駆られ安楽死を選択するにしても、最後の最後まで悩み抜くことを諦めてはいけないのです。

こうした安楽死を考えないといけないような状況は、死というものが自分にとって選択肢の一つになっているのですから、めったにない非常事態です。

それに対して、死が間近に迫っていない普通の日々を生きている時は、あたかも自分にとって死など無縁であるかのように振る舞い、死をごまかす。それが人間らしい生き方なのです。

もしかしたら、安楽死を選択肢の一つとして頭に思い浮かべ、死を覚悟した人でさえ、ごまかすことはあるかもしれません。安楽死に限らず、重い病気で余命宣告を受け、死を受け入れざるを得ない人も同じでしょう。

ただし、このような人に必要なごまかしは、死がないかのように振る舞うことではなく、**死が決して苦しみや恐怖を伴うものではないかのように振る舞う**ことです。自らに死が差し迫った時は、もはや死を他人事としてごまかすことはできません。そうした場合はむしろ死と向き合って、うまく共存していくべきなのです。

●死といかに共存するか

では、死という最大の謎、いわば得体のしれない恐怖を前に、いかにその恐怖を打ち消せばいいのか。人間はその点で様々な工夫をしてきたといえます。

ジャンケレヴィッチは、死を陽気なものと捉えて折り合いをつけようとするメキシコの文化や、死者をあたかも生きているかのように扱おうとするアメリカの文化を例に挙げています。彼らは皆、死とともに暮らし、死に慣れることを目指しているのです。ジャンケレヴィッチによると、その目的はすべて死への不安を打ち消すことだといいます。

人間は死をあまりに考えすぎ、不安があまりに強くなると、その空恐ろしい身近な死に逆に馴れ親しんで、不安を打ち消そうとするものです。（前掲書、P119）

「**死を賑やかなものにすることで、人は恐れることなく死に立ち向かうことができる**」というわけです。あたかもこれは死を避けているかのようですが、決してそんなことはないのでしょう。日頃死をごまかすのと同じで、死を賑やかなものにしてしまうのもまた、人が生きる術なのだと思います。

ジャンケレヴィッチが死は最大の謎だという時、それはもはやいかに解明するかではなく、いかにその謎と共存するかという命題へと転換されているのです。死ぬことを運命づけられた私たち人間は、死といかに共存していくかということこそを考えるべきなのであって、それ以上のことを考える必要はないのかもしれません。死という謎を解き明かすことは、不可能なのですから。

では、哲学者はなぜ死を語り、死の本質を明らかにしようとあがくのか?

宗教の場合、人が死と共存していくための理屈を提示する役目があります。人は宗教に身を委ねることで、死について考えなくていいようになります。あるいは、死を理解の延長線上に位置づけることができるようになるのです。まるでこの生の世界の先に、名前だけ変えた死という世界が待っているかのように。

でも哲学は違います。少なくとも哲学者の動機は、人が死と共存できるように、わかりやすいお話を捏造することではありません。なぜなら、死は経験不可能で、誰もその実体を知らないからです。物事の本質を探究する哲学者たちが、そんな嘘をいうためにわざわざ苦しんで頭をひねることはないでしょう。

そうではなくて、**哲学はあくまで死に対する誤解を解こうとする**のです。嘘が嫌いな哲学者たちは、世間に広がる死に関する嘘を疑い、間違いを白日の下に晒すのです。そんなことをしたら、死を恐れる人が増えるかもしれませんが、逆に死を過度に恐れている人もいます。そういう人たちからすれば、ありがたいことでしょう。さらには、死についての物語に騙されて、大金を失っている人もいるかもしれません。そういう人たちを救うのもまた哲学なのです。

一言でいうなら、哲学者の使命とは**死という最大の謎に向き合う**ことなのではないかと思います。どうせ死を避けて通ることができないなら、そして老いによっていよいよ死を迎える時期が近づいているのなら、恐れることなく迎え撃ってやろう。そういう人たちのために、死の哲学は存在するのです。

良き死を迎えるためには？

――デーケンの死生学

人生の終わりに向けて「終活」を始めている人はどれほどいるでしょうか。終活は残された家族たちの負担を軽減するだけでなく、自分の残りの人生や最期を良いものにするための準備でもあります。良き死を迎えるために、どんなことができるでしょうか？　ドイツ人哲学者アルフォンス・デーケン（1932～2020）は上智大学で教鞭を執り、日本に死生学の概念を広めました。彼が提案した死の恐怖を和らげる三つの方法から、満足して死を迎えるためのすべを学んでいきましょう。

●死に向き合うことで、生にも向き合う

人はいつ終活を始めることができるのでしょうか。もちろん、自分の死を意識した時なのだとは思いますが、それがいつなのかということです。余命宣告をされれば、もうすぐ

にでも始める必要があるでしょう。いや、もしかしたらそれどころではなくなるかもしれません。人間はいつかは死ぬとわかっていても、なかなかその事実を受け入れられないものです。

日本における**死生学**のパイオニアといってもいい**デーケン**は、自らもまたガンの宣告を受け、死への恐怖を感じたといいます。毎日のように死を受け入れる必要性やその方法を説いてきた人物でさえ、いざ自分がその立場になると、たじろいでしまうのです。ましてや、普通に生活を送っている私たちにとって、死を受け入れるのは大変なことでしょう。

終活を始めることは、ある意味で自分の死を受け入れることといえます。それをいつまでも先延ばしにすると、死と向き合う機会を逃します。そうして終活をしないまま突然死んでしまうと、愛する家族をはじめ、周囲の人たちに迷惑をかけることにもなってしまうのです。

そもそも、終活のためという狭い目的を超えて、**自分の死に向き合うことにはもっと大きな意義があります**。実はデーケンは、自らの確立した死生学、あるいは死の哲学において、そのことを訴えようとしてきたのです。彼は著書『より良き死のために』の中で、次のようにいっています。

思考から死への意識を排除することは、一見生を強調しているかのように思われるかもしれません。しかしそれは違います。死とともに生への意識も衰えさせる危険をはらんでいます。

（『より良き死のために』ダイヤモンド社、P32）

そう、死を意識せずに生きることは、一見前向きでいいことであるかのように思いますが、実は生からも目を背けていることになるのです。なぜなら、生と死は一体のものだからです。デーケンにいわせると、一続きのものといった方が正しいでしょうか。彼は、死を生の究極の到達点として捉えています。**懸命に生きた先に私たちを迎え入れてくれるのが死にほかならない**というわけです。

誤解を恐れずいうならば、私たちは死ぬために生きているのです。満足して死ぬために。そのことをよく示しているのが、デーケンも例に挙げている黒澤明監督の名作映画『生きる』です。彼はこの映画を何度も見に行ったといいます。主人公は事なかれ主義でただ日常を消極的に生きていましたが、ある日ガンで死ぬことを知り、懸命に生き始めます。そして自分のなすべきことをやりきって、満足して死んでいくのです。

●思いやりと愛を示して、良き死を迎える

では、私たちが満足して死んでいくためには、どうすればいいのか？

デーケンは、**死の恐怖を和らげる必要がある**といいます。死の恐怖が、懸命に生きるのを邪魔するからです。そこで彼が提案するのは、次の三つの方法です。

一つ目は、**死について学ぶ**ことです。死を恐れないようにするためには、死のことを正しく知らなければなりません。様々な英知をフルに活かし、死を多角的に捉えるのです。死は必ずしも物理的な現象ではありません。そこには哲学や文学もかかわっています。そうして初めて、本当の死の姿が見えてくるのです。

実際にデーケンは、様々な角度から死について学び、考え、ついに**良い死に方**があることを発見します。人間の死に方には良いものとそうでないものがあるというのです。良くない死に方とは、死を過剰に恐れ、自分の死を受け入れず、ふさぎ込んでしまうような死に方です。それは自己中心的な死だとも表現しています。これに対して良い死に方とは、次のようなものなのです。

死をしっかりと受け入れ、お世話になった人たちに感謝の気持ちを表し、別れを告げる。そうして最期まで周りの人に思いやりと愛を示して逝くことができたら、「良き死」といえるのではないでしょうか。（前掲書、P107）

たしかに、このような最期を迎えることができたら、きっと心穏やかでいられることでしょう。何より、死とはこのような瞬間を指すのだと知れば、死への恐怖も和らげることができるように思います。

自分の死は、自分を苦しめるだけでなく、周囲の人たちをも苦しめるわけですから、少しでもその人たちのことを思うなら、過度に恐れてふさぎ込んでいるわけにはいきません。**死に際して周囲への思いやりを持つ**。これはお互いに支え合いながら生きる人間という存在にとって、とても大事なことであるように思います。

その思いやりの一つの形が遺言だといいます。デーケンは、それは愛する人への思いやりであり、最後のプレゼントだと表現しています。その意味で、終活とは思いやりでもあるのです。

●死後の世界を信じ、明るく振る舞う

死への恐怖を和らげる方法の二つ目は、**死はすべての終わりではないという希望を持つ**ことです。死を受け入れるとはいっても、やはり死んでしまうのは悲しいものです。やり残したこともあるでしょうし、周囲の人たちのことも気になるでしょう。

だから死後も何らかの形で命が続くと信じるのは、最後まで力強く生きる希望につながります。とはいえ、死後の世界を信じることができない人にとっては、これは難しい話です。少なくとも今の科学では死後の世界は証明されていません。でも、デーケンはそんなことを百も承知でこういい放ちます。

いくつもの蓋然性が重なり合う死後の世界、死後に続く生命、それを信じて希望を抱きながら人生に処していくのは、まさに美しい冒険、高貴な冒険ではないかと私は思うのです。（前掲書、P236）

なんという美しい表現でしょうか。彼のいう通り、死後に生命が続く可能性はゼロではありません。世の中には最後まで何かが起こる可能性が残されるのですから。しかもそれは美しい冒険であり、高貴な冒険だというのです。

実はこれは古代ギリシアの哲学者ソクラテスが、魂の不死を論じた際の表現です。デーケンはそれを引用しながら、自らも死後自分が生きる可能性に賭けようというのです。

哲学が面白いのは、常識や科学がなんといおうと、常にそれとは違うことを主張できる点です。だから哲学的に考えると、死も怖くなくなるのです。すべては気持ちの持ちようなのですから。

三つ目の方法も、そんな気持ちの持ちように関係しています。デーケンは、**どんな時にもユーモアと笑いを忘れない**ようにしようと提案しています。もっとも、ここでいうユーモアとは、決して単におかしいことを意味するわけではありません。

彼はドイツ語の「ユーモアとは『にもかかわらず』笑うこと」という表現を紹介しながら、周囲の人たちへのやさしさや思いやりとしてのユーモアの意義を強調しているのです。死が近づいている「にもかかわらず」最期まで明るくいられたら、きっと自分も周囲の人たちもふさぎ込むことはないでしょう。

そんな周囲の人たちの明るい姿を見れば、自分も安心して死ねるように思うのです。これもまた終活の一側面だといっていいのではないでしょうか。周囲の人たちが悲しみにくれることなく、自分がいなくなった日常を強く生きていけるようにする。それができたらさぞ安心でしょう。

デーケンは、**死のコントロールはできないけれども、死ぬまでの時間をどう生きるかはコントロールできる**ともいっています。終活とは、そうした死ぬまでの時間のコントロールにほかなりません。

自分が死ぬための準備をするなんて縁起でもないし、特にまだまだ元気なうちは考えただけでも嫌になるかもしれません。でも、年齢や健康状態にかかわらず、人は常に死と隣り合わせなのです。

だからこそ、むしろ**元気なうちに死を迎え入れる準備をしておく**ことが必要なのです。デーケンの言葉でいうと、死に到達する準備をするということです。悔いなく、満足してゴールできるように。

なぜ人は自殺するのか？
——デュルケームの自殺論

日本人の自殺率は、先進国の中でも高い方です。これは高齢者も例外ではなく、高齢者に限った自殺率についても同様です。こんなに豊かな国でも、多くの人が自ら命を絶っている現実があります。その意味でも、60歳からの哲学といった時、自殺について考えないわけにはいきません。この社会問題について、どう向き合っていけばいいのでしょうか？　また、自殺を遠ざけるにはどうすればいいのでしょうか？　フランスの社会学者エミール・デュルケーム（1858～1917）による名著『自殺論』をもとに考えていきましょう。

●自殺の定義

あらゆる死がそうですが、自殺という名の死もまた、いつ私たちの身に降りかかるかわからないのです。ましてや自殺は、その名の通り自分で自分を殺してしまうことですから、やろうと思えば自分次第でいつでもすることができます。あくまで理屈上の話ですが。

ただ、だからといって自殺は個人的な問題ではありません。もはやこれが**社会問題**であることは常識といっていいでしょう。自殺を初めて社会学的に解明しようとしたのが、**デュルケーム**の『自殺論』です。この本の中でデュルケームは、自殺を次のように定義しています。

> **死が、当人自身によってなされた積極的、消極的な行為から直接、間接に生じる結果であり、しかも、当人がその結果の生じうることを予知していた場合を、すべて自殺と名づける。**
> （『自殺論』岩波文庫、P22）

つまり、「**それによって自分が死んでしまうことを理解していながら、あえてその行為をすることを自殺と呼ぶ**」わけです。

これは私たちの知っている自殺行為のほとんどをカバーするのではないでしょうか。仮に病気を患っている人が、積極的に治療行為をしないというのもある意味で自殺だというわけです。これも人の気持ちはわかりませんし、死因も明確に特定できるものではないので、本当にそれが自殺なのかどうかは断定できません。でも、生きるということに比較すれば、明らかにそれに反した行為であるといえるでしょう。

●自殺の原因は社会

人間は基本的に生きようとする存在です。その意味では、自らあえて死を選ぶというのは異常事態なわけです。なぜそんな異常なことが起こってしまうのか？　実はデュルケームにいわせると、それは決して異常現象ではないのです。**自殺はむしろ日常の延長線上にあるといいます。**

考えてみれば、とても充実した生を送っていた人が、ある日突然前触れもなく自殺するというケースは少ないと思います。あるとすれば、周囲の人には一見充実しているように映っていたとしても、本人はずっと悩んでいたのでしょう。表面上は明るく振る舞っていたとしても、心の闇は他人にはわからないものです。

実際、自殺する人のほとんどが、徐々に心を病み、苦しい日常の延長線上についに命を絶っているのです。だからデュルケームはそこに切れ目はないといいます。そう考えると、社会的動物である人間は、どこかで他者の異変に気付き、その悲劇を止めることができるはずなのです。それができないのは、社会がおかしくなってしまっているからにほかなりません。人の苦しみが、仲間の苦しみが見えなくなってしまっているのです。時にそれは付き合いの希薄さによって、時にそれは社会自体が加害者であるがゆえに。

そう、人間は社会的動物であるからこそ、冒頭にも書いたように、その**社会そのものが原因となって自殺に追いやられている**といっても過言ではないのです。デュルケームは詳細なデータを分析した結果、次のように結論付けています。

> **自殺傾向が必然的に社会的原因に根ざすものでなければならず、それ自体がひとつの集合的現象をかたちづくるものでなければならない**（前掲書、P160）

集合的現象としての自殺。デュルケームはこれをその社会的原因ごとに三つに類型化しています。

一つ目は「**自己本位的自殺**」です。要は、社会的絆が失われ、個人主義が行きすぎると、人は孤独になって自殺してしまうというわけです。年齢にかかわらず、学校や職場でのいじめによって孤立したり、社会の中で疎外されたりすると、生きているのが嫌になるということでしょう。悩みがあっても打ち明ける人さえいないのですから。

二つ目は、「**集団本位的自殺**」です。こちらは反対に、集団があまりにも強く個人を従属させていると、その社会的プレッシャーから、自殺する人が出てくるというものです。これは問題の責任を取って自殺してしまう人に当てはまるような気がします。不祥事を起こしてしまった企業のトップなどは、直接自分が悪かったわけではなくても、社会から非難されて耐えきれなくなるのでしょう。

三つ目は、「**アノミー的自殺**」です。アノミーとは、社会が乱れて統制がとれていない状態をいいます。その中で、過度な欲望を抱いた人が、現実とのギャップに苦しみ、挫折ゆえに自殺してしまうというわけです。たとえば、金融危機などで経済が混乱したような場合、これまでやってきたことが馬鹿らしくなって自殺するといったような例があります。

●社会との絆を保つ

日本における高齢者の自殺との関連でいうと、このうち一つ目の**自己本位的自殺**が重要であるように思います。なぜなら、孤独死に象徴されるように、**高齢者の孤独**が社会問題になっているからです。

人には寿命がありますから、年を取れば取るほど昔の知り合いは減っていきます。また健康も衰えていき、外に出る機会も減ります。そうしてだんだん孤独になっていくのです。しかしそれもまた本人のせいではなく、あくまで社会の制度の問題です。

その社会によって孤独に追いやられた高齢者が、生きる喜びを喪失し、自殺という選択をしていると考えることもできます。もちろん、高齢者の自殺には、健康の問題をはじめ様々な理由があります。とはいえ、いずれにせよ**周囲に支えてくれる人がいて、一人で苦しむことがなければ、そのような死に方を免れる可能性は高くなる**のではないでしょうか。これはデュルケームも指摘しているところです。

> **自己本位主義は、たんなる自殺の副次的な原因ではなく、その発生原因である。このばあい、人びとを生にむすびつけていた絆が弛緩するのは、かれらを社会にむすびつけていた絆そのものが弛緩してしまったためである。**
>
> （前掲書、P257）

彼は決して高齢者についてそういっているわけではありませんが、自己本位主義、つまり社会の絆が弛緩したことによって自殺が引き起こされたような場合、それはおまけの原因ではなく、主原因なのです。

実はデュルケームは、高齢者は自己充足的存在であり、社会に多くを求めないことから、最高齢の人たちの自殺率が低いと論じています。しかしそれは、本当に人生があとわずかと実感した人たちの話であって、現代日本の高齢社会のように長い時間を高齢者として過ごす状況とは背景が異なります。

そう考えるとやはり、日本の場合はこの**長い高齢者としての時間を、いかに社会との絆を維持しながら生きていくか**ということが重要になってくるように思います。

デュルケームは、家族の意義も挙げていますが、いわゆるお一人様と呼ばれるように、家族が周囲からいなくなる状況は大いに考えられます。もちろん家族が近くにいて、そばで支えてくれるならそれに越したことはありません。

そうでなくても、今は他者と交流するための場が増えていますから、積極的にそうした場に顔を出すのがいいのではないでしょうか。誰かに気持ちを打ち明けるだけでもすっきりするものですし、きっと刺激になるような新しい出逢いもあるでしょう。

これは年齢を問わず当てはまることだと思います。人は皆、誰かと出逢い、話し、刺激を受け、そのおかげで明日に思いを馳せる生き物なのです。そのサイクルの中に身を置いている限り、明日に思いを馳せるのを止めることはないはずです。

死への不安を乗り越えるには？

――ハイデガーの不安論

事故に遭わないだろうか、病気にならないだろうか……人間は皆そんな不安にさいなまれながら生きています。さらに年を取るほど寿命が近づくからか、不安は日々増大していきます。こうした不安を乗り越えるにはどうすればよいでしょうか？　ドイツの哲学者マルティン・ハイデガー（１８８９～１９７６）は、あえて死を先回りして覚悟することで、不安を克服することができるといっています。彼の未完の名著『存在と時間』を紐解きながら、不安を乗り越えて生きる方法について考えていきましょう。

●人間は今を生きる存在である

人生には原因不明の、しかも避けることのできない不安がつきものです。ある意味で不安とは、人生という時間を生きる不完全な人間存在が、どうしても抱えざるを得ない宿命なのかもしれません。そんな人間の宿命について論じた名著が**ハイデガー**による『存在と時間』なのです。

彼はこの本の中で、「存在」の意味を徹底的に考察しています。当然そこには人間の存在の意味も含まれています。いや、それこそが主題であったといっても過言ではないでしょう。

ハイデガーがわざわざそんな根源的なテーマに取り組んだのには理由がありました。彼は、既存の価値観が破壊された第一次世界大戦後の時代において、もう一度人間や世界の存在の意味を問い直そうとしたのです。そうして再定義された人間存在の本質こそが、**現存在**という概念でした。

> **われわれ自身が各自それであり、そして問うということを自己の存在の可能性のひとつとしてそなえているこの存在者を、われわれは述語的に、現存在（Dasein《ダーザイン》）という名称で表わすことにする。**
>
> （『存在と時間』ちくま学芸文庫、上巻P39）

つまり、「日々に疑問を持ち、大丈夫だろうかと不安を抱きながら生きるのが人間だ」ということです。そんなふうに、**自分の可能性を探りながら今ここを生きる存在である人間を、ハイデガーは現存在と表現した**わけです。ドイツ語のDaとは「ここ」という意味であり、seinとは「存在」を表す言葉です。

このように、現存在とは自己の存在の可能性を問おうとするところに特徴があります。ただ漫然と生きている存在とは異なるのです。だからこそ人間は悩むのでしょう。漫然と生きているだけなら、何も不安に思うことはありませんから。

そうではなくて、私たちはいいことも悪いことも含めて、こうなるかも、ああなるかもと可能性を考えながら日々を生きています。人間にとって未来は不確実なものである以上、可能性を考え出すと、当然不安も生じてきます。

もっとも、現存在はこんなふうにただ可能性だけを考えて、未来の時間を夢想するだけの存在ではありません。あくまでそれは「今、ここ」、つまり現在を生きる存在としての延長線上にあるのです。

ここにはハイデガー独自の時間の観念が影響しています。彼は、通常私たちが使っている時計の時間ではなく、いわば心の時間ともいうべき**根源的時間**の概念を唱えました。

時計の時間の場合、過去から現在、未来へと線分上に時間が過ぎていきます。したがって、生きるということはあたかも時間という線分上を歩いていく行為であるかのように思われるのです。

ところが根源的時間の考え方からすると、今ここを起点に、既に過ぎ去った過去も、これから到来する未来も自分の中にあると考えます。つまり、**過去も未来も今の自分と関連づけることで、今ここにある**と考えるわけです。

たしかに、過去のことは今の自分の頭の中にあるだけですし、未来もこれから自分に降りかかるものとしてやはり頭の中にあるだけだともいえます。だから時間とは、今この瞬間を生きる自分の中だけに存在するものになるのです。

●人間の根底には、死への不安がある

こうして人は、今この瞬間を生きる存在だからこそ、その先のことを考えるのです。そして前に進もうとするのです。止まってしまわないように。

その時私たちに何が必要か？ それは生きる気力です。**生きる気力によって何かをする**のです。仕事、食事、呼吸等々。気力がなくなれば、何もしなくなります。そうすると生命活動は終わってしまうでしょう。

では、気力を出すために何が必要か。ハイデガーにいわせると、それが気分なわけです。**私たちは様々な気分に支配されている**のです。いい気分の時は調子よくいろんなことに手を出しますし、反対に悪い気分の時は部屋に閉じこもっているのではないでしょうか。彼は、そんな気分の一番底にあるものこそが、不安だということを発見したのです。なぜなら、人間はいつかは死すべき存在であり、一番根底には、**死への不安**があるはずだからです。

そしてそれゆえに、不安という気分が他の気分とはまったく異なる性質を持っていることについても気づきました。ハイデガーは不安について次のように描写しています。

> **おびやかすものがどこにもないということが、不安がそれに臨んでおびえているところのものの特徴である。不安は、自分が何に臨んで不安を覚えているのかを「知り」はしない。**（前掲書、上巻P393）

不安が他の気分と異なるのは、それが何から生じているのかわからないという点なのです。おびえてはいるのだけれども、何に対してなのか、その対象が不明なのです。だからハイデガーは、不安は恐怖と異なるというのです。

なぜなら、恐怖とは具体的な対象を恐れることだからです。たとえそれが目に見えないお化けみたいなものへの恐怖であったとしても、対象が何なのかわかれば対策を立てることができますから、それを取り除くのは簡単です。それに対して、**不安とは漠然とした対象を恐れること**なのです。だとすると、何をすれば解消されるのかわかりません。

●死をあらかじめ覚悟する

究極的には、人間が恐れる対象である根本的なものを取り除くよりほかありません。それが死という事態なのです。**人間にとって一番よくわからないもの、一番恐れるべきものは死**だからです。

ハイデガーもいっていますが、死には交換不可能性という絶対的な性質があります。文字通り誰とも交換することのできないものということです。つまり、死は自分にとってだけ意味を持つものであり、誰かの死は自分にとっての死ではないのです。ということは、自分が死ぬまでそれを体験することはできません。その本質どころか、それがいったいどんな感じなのかさえも生前に知ることはできないのです。

しかも死には同時に追い越し不可能性という性質も備わっています。誰も追い越すことができない最後の可能性だということです。いわば人間の終わりです。死ぬまでわからないのに、その死自体がすべての終わりだなんて、これ以上の恐ろしいことがあるでしょうか。

その意味で不安とは、**死から生じている気分**なのです。これは高齢者にとってより切実な問題です。本当の不安は、高齢者こそが抱えているといってもいいでしょう。問題はその乗り越え方です。ここでハイデガーは、先駆的覚悟性という概念を持ち出します。

先駆はこの可能性を可能性として開示する。こうして、覚悟性は、先駆する覚悟性となってはじめて、現存在のもっとも固有な存在可能へむかう根源的存在となるのである。（『存在と時間』ちくま学芸文庫、下巻P174）

ここでいわれているのは、先駆的に覚悟することで、現存在つまり人間は根源的存在になるということです。簡単にいうと、「**死を先回りして覚悟することで、人間は本来的な生き方ができるようになる**」ということです。

普段私たちは、死に起因する不安を忘れるために、日常に埋没して生きています。ハイデガーはこれを非本来的な生き方と呼びます。いつか人生は終わるという事実を私たちは知っているにもかかわらず、あえてその事実から目を背けて生きているのです。でも、結局は不安から逃れることなどできません。ふとした瞬間に、死が頭をよぎるからです。

だとするならば、いっそ**死を覚悟して、懸命に生きた方がいい**ではないかというのです。そうすれば、不安を払拭することが可能になるからです。前に可能性を問うことができるのが現存在だといいました。その究極の可能性こそが、死なのです。

その可能性を覚悟すれば、もう恐れるものはありません。たしかに、余命宣告を受けて、その事実に向き合い、人生の最後を懸命に生きようとしている人には迷いも不安も感じられません。

もちろんそれは簡単なことではないでしょう。でも、死から目を背けて不安にさいなまれるのか、死を覚悟して強く懸命に生きるのか、どちらがいいかは明らかでしょう。ハイデガーは、不安を乗り越えて生きるための方法について、人間の存在の根本までさかのぼることで説いてくれているのです。限られた時間だからこそ、人生を充実させるためにも、死に向き合う必要があるのではないでしょうか。

予測不可能な死をどう考えるか？
――モランの詩的生活

人はなぜ死を恐れるのか。その大きな理由の一つが、予測不可能性です。死は必ず訪れますが、それがいつなのかは誰にもわかりません。ある瞬間に突然自分の意識が消え、この世から存在が消失してしまうと考えると、こんなに不安なことはないでしょう。本書の最後に、フランスの哲学者エドガール・モラン（1921〜）を紹介したいと思います。100歳を迎えた彼は著書の中で、死を含めた人生の可能性を受け入れる「詩的な生活」を勧めました。意義ある人生を過ごすための「詩的な生活」について考えてみましょう。

●人生は何が起こるかわからない

死をめぐる最後のテーマとして、**人生の予測不可能性**について考えてみたいと思います。参考にするのは現代の哲学者**モラン**の思想です。モランは100歳になった2021年に、

『百歳の哲学者が語る人生のこと』という邦題のつけられた著作を上梓《じょうし》しました。原題を直訳すると「一世紀分の人生の教訓」となるのですが、文字通り激動の一世紀を生き抜いてきた哲学者なのです。

その教訓を一言でまとめると、まさに人生は予測不可能だということになるでしょうか。もちろんモランは本の中でたくさんの教訓を伝えてくれていますが、結局はそこに集約するように思えてなりません。それは彼自身の人生を振り返れば明らかです。彼が生きてきた激動の20世紀は、世界各地で革命や突然の軍事侵攻がありました。自らもユダヤ系であったことから第二次世界大戦期にはナチスに追われ、また今は私たちと同じようにパンデミックやロシアのウクライナ侵攻といった出来事に翻弄されています。そうしてモランはこう結論づけるのです。

人間的なものすべてから偶然の要素を排除することは不可能であり、我々の運命は不確実であり、思いがけないものを想定する必要がある、これが、私が人生の経験から学んだ主要な教えです。

（『百歳の哲学者が語る人生のこと』河出書房新社、Ｐ58）

つまり、「**人間が生きるうえで、偶然の要素を取り除くことなどできないのだから、常に思いがけないことが起こると思って生きよ**」というわけです。もっと詩的に、あらゆる人生は不確実性の大洋を航海することだともいっています。

さらにモランは、人生はサイコロを振るのとは違って、何が起こるか誰にもわからないといいます。さっと皆さんもそう実感できるのではないでしょうか。六つの数字のいずれかが出ることがわかっているサイコロに対して、人生の場合は何が起こるかさえわかりません。その意味で偶然性に満ち満ちているのです。

●世の中も人間も複雑だから、予測は不可能

そんな偶然性が生じざるを得ない背景として、モランは**世の中の複雑さと、個々人の複雑さ**の二つが影響していると考えているようです。

世の中の複雑さとは、様々な事柄が密接に絡み合っているということです。よく経済予測が行われますが、それは経済学を学んだだけでできるものではありません。経済には政治だけでなく、地球環境の変化なども関係しているでしょう。いや、この地球上のあらゆる事象が関係しているといっても過言ではありません。

だからモランは、その複雑な世の中を考察するための思考法を提唱したのです。それは複雑思考と呼ばれるもので、新しい学問の方法論であり、体系でした。これに加えて、モランは個々人の複雑さについても強調します。一般に人間は、合理的に思考をし、正しい行動をとれると思われています。ところがモランは、そう単純には考えません。

要するに、サピエンス、ファーベル、エコノミクスのうちにある合理性の基盤は人間的なもの（個人、社会、歴史）の一方の極でしかありません。同じくらい重要なものとして、他方に、情熱《パッション》、信仰、神話、幻影、錯乱、遊びがあるのです。（前掲書、P97）

サピエンス、ファーベル、エコノミクスというのは、それぞれ賢さ、創造性、経済性といった人間の合理的な側面を表現する言葉ですが、それはあくまで一面に過ぎず、他方で**人間には情熱や錯乱のような非合理的な側面がある**ということです。

このように捉えると、もう**人間の行動は予測不可能**なものとなってしまいます。合理的に判断すればこうするだろうというのを裏切ってくる可能性があるからです。実際、モランのいう通りです。私たちは、あたかも人間が皆合理的な生き方をするという前提のもと社会制度を設計していますが、そんなことがあったためしはありません。だから戦争や信じられないような犯罪が起こるのです。これは極端な例かもしれませんが、皆さんの人生にも、「なんであんな馬鹿なことをしたんだろう」と後悔するような、理解に苦しむ出来事がたくさんあるのではないでしょうか。

この世は人も物事も複雑で、それゆえに偶然性をもたらさざるをえない仕組みになっているのです。かくして人が生きるという事象は、予測不可能性に支配される結果となります。モランが100年の人生を生き、考え抜いたうえで結論づけたのはこういうことです。

●「詩的な生活」で運命を受け入れる

したがって、誰の人生にもつきまとう死という現象もまた、突然訪れることになります。予測不可能であることを運命づけられているわけですから、死の訪れを恐れても仕方ありません。**死は有無をいわせず私たちを呑み込んでいきますし、そのタイミングさえ選ばせてくれない**のです。それが死の本質でもあります。

死という出来事だけがこの世で最も恐れるべきことであるかのような死の特別性、そして死だけは絶対に避けることができないという死の絶対性は、その本質から来ているのです。はたして私たちはこの死の特別性、絶対性から逃れることができるのかどうか。

モランは死の特別性や絶対性を認めつつも、だからといって何もできないわけではないと考えています。**たとえ人生が予測不可能であろうと、それゆえに死が予測不可能なものになろうと、人生には意義が見いだせる**と。それを象徴するモランの言葉がこれです。

タナトスが最終的な勝者のように思われますが、私にとっては、何が起ころうとも、エロスを選ぶことによってのみ人生に意義があることは明らかだと思われます。（前掲書、P156）

タナトスとは死のことです。死が最終的にすべてを決めてしまうかのように見えるけれども、モランにとってはエロス、つまり愛が勝るということです。**愛を重視することで初めて、人生には死を超えた意義が見出せる**ということなのでしょう。いかにも哲学者らしい、含蓄のある言葉です。タナトスよりエロスを選ぶ……。

具体的にそれはどのようにして生きることなのでしょうか？

ここでモランは、**詩的な生活**なるものを勧めます。これは散文的な生活とは対極的なものとして挙げられている態度です。

散文的な生活というのは、量的なものばかり求め、合理的に生きることです。散文、つまり論理的な文章のように「理屈上はこうなる」「この方が効率がいい」と考えて生きることをいいます。それは予測して生きるということの裏返しです。

しかし予測不可能な世の中で、予測して生きることなどできるはずがありません。いや、ある程度はできるかもしれませんし、人生のリスクを減らすためには大事なことでもあるのでしょう。ただ、そういう生き方は、究極的には死を予測し、おびえ続ける生き方につながりかねません。予測不可能な死のリスクを軽減するために、あらゆる手段を講じることになるでしょう。それはもうきりのない行為です。何しろ死は予測不可能なのですから。意識し始めると、そこらじゅうに死の影がちらつきます。交通事故に遭うのではないだろうか、大地震が起きないだろうかと……。

その結果、日々おびえて暮らすということになるのです。これはモランの言葉を借りるなら、タナトスが勝利する人生だといえます。多くの人がそうやってタナトスに勝利を与えてしまっているのではないかと思います。

それを避けるためには、詩的な生活を送る必要があるのです。**詩的な生活とは、人生の可能性を享受するような生き方**のことです。いいことも悪いことも含め、何が起こるのかわからないのが人生であるのなら、それを否定し拒絶するのではなく、むしろ受け入れるということなのでしょう。運命を愛でるといってもいいかもしれません。まさに**エロスを重視した生き方**です。

その運命の中に当然、死も含まれています。しかしそれはもうおびえる対象ではなく、受け入れる対象にしか過ぎないのです。もっというなら、愛でる対象だといってもいいかもしれません。

人生には生と死がつきものです。生きることだけが人生ではなく、いつかは死んでしまうから人生なのです。その時は必ずやってきますし、それが訪れた時には、愛でるべきなのです。死を愛でるというのではなく、人生そのものをです。よく生きてきた、お疲れ様と自分をいたわってあげる。そんな気持ちで日々を過ごした方が、不安にさいなまれながら生きるよりよっぽどいい。少なくとも私はそう思って今日も生きています。

おわりに——人生は60歳からが面白い

様々な哲学者たちの考え、いかがでしたか？　老いにも病にも死にも、多様な考え方があることに気づかれたのではないでしょうか。老いはもちろんのこと、死でさえもポジティブに向き合うことは可能なのです。

そしてまた、そのポジティブな度合いも人それぞれなのだと思います。ジャンケレヴィッチは死をごまかせといいましたが、ハイデガーは向き合えといっているように。だからといってこの場合、ジャンケレヴィッチも別に死を無視せよとか、死から逃げよといっているわけではありません。

基本的に哲学者たちは、立場は違えど**「より善く生きる」ために、物事の見方を変えようと努めているの**です。その部分では皆共通しているように思います。

実はこのより善く生きるためという目的は、哲学そのものの目的だといっても過言ではありません。何しろ、哲学の父とも称される古代ギリシアの哲学者ソクラテスが語っていたことですから。私たちは自分の人生を少しでも善くするために、考え続けなければならないのです。老いも病も自然な現象ですから、どうすることもできません。多少はアンチエイジングで老いに抗ったり、病気の治療をしたりすることは可能ですが、それでもすべてコントロールすることはできないでしょう。

だとするならば、私たちにできるのは気持ちを切り替えることだけです。それを可能にしてくれるのが哲学なのです。**現実は変わらなくても、気持ちは変えることができる。**これは人間にとって最後の望みだともいえます。

60歳にもなれば、程度の差こそあれ、当然誰もが老いを意識せざるを得ません。でもそれは決して否定的な出来事の始まりではないのです。**自分次第で人生はいくらでも楽しいものになる**のではないでしょうか。もうそのことは本書で紹介した哲学者たちの言葉が証明してくれているはずです。

とりわけ私は、たった今この本を書き終えたばかりなのでこう確信しています。人生は60歳からが面白い。この本を読み終えた皆さんが、私と同じように少しでも前向きな気持ちになっていただけることを祈っております。

さて、本書を世に出すに当たっては、大変多くの方にお世話になりました。特に企画の段階から校正に至るまで熱心にサポートいただいた彩図社の黒島憲人さんには、この場をお借りしてお礼申し上げます。また、本書を手に取って下さったすべての方に感謝申し上げます。

2024年2月吉日　小川仁志

参考文献

キケロー『老年について』中務哲郎訳、岩波文庫、２００４年／シモーヌ・ド・ボーヴォワール『老い』下巻、朝吹三吉訳、人文書院、２０１３年／ミシェル・ド・モンテーニュ『エセー』１巻、荒木昭太郎訳、中公クラシックス、２００２年／ミシェル・ド・モンテーニュ『エセー』３巻、荒木昭太郎訳、中公クラシックス、２００３年／カール・ユング『無意識の心理』新装版、高橋義孝訳、人文書院、２０１７年／鷲田清一『老いの空白』岩波現代文庫、２０１５年／アラン『幸福論』神谷幹夫訳、岩波文庫、１９９８年／エピクロス『教説と手紙』岩崎允胤訳、岩波文庫、１９５９年／モーリス・メルロ＝ポンティ『知覚の現象学』改装版、中島盛夫訳、法政大学出版局、２０１５年／老子『老子』蜂屋邦夫訳、岩波文庫、２００８年／フリードリヒ・ニーチェ『人間的、あまりに人間的』２巻、中島義生訳、ちくま学芸文庫、１９９４年／フリードリヒ・ニーチェ『悦ばしき知識』信太正三訳、ちくま学芸文庫、１９９３年／和辻哲郎『倫理学』２巻、岩波文庫、２００７年／小川仁志『エリック・ホッファー　自分を愛する１００の言葉』ＰＨＰ研究所、２０１８年／エマニュエル・レヴィナス『全体性と無限』上巻、熊野純彦訳、岩波文庫、２００５年／エマニュエル・レヴィナス『全体性と無限』下巻、熊野純彦訳、岩波文庫、２００６年／アルトゥール・ショーペンハウアー『孤独と人生』金森誠也訳、白水社、１９９６年／エーリヒ・フロム『愛するということ』新訳版、鈴木晶訳、紀伊國屋書店、１９９１年／バートランド・ラッセル『幸福論』安藤貞雄訳、岩波文庫、１９９１年／ゲオルク・ジンメル『ジンメル・コレクション』北川東子・鈴木直訳、ちくま学芸文庫、１９９９年／カール・ヒルティ『眠られぬ夜のために』第一部・第二部、草間平作・大和邦太郎訳、岩波文庫、１９７３年／三木清『人生論ノート』新潮文庫、１９７８年／アリストテレス『ニコマコス倫理学』上巻、高田三郎訳、岩波文庫、１９７１年／アリストテレス『ニコマコス倫理学』下巻、高田三郎訳、岩波文庫、１９７３年／ジャンケレヴィッチ『死とはなにか』原章二訳、青弓社、１９９５年／アルフォンス・デーケン『より良き死のために』星野和子訳、ダイヤモンド社、２０１８年／エミール・デュルケーム『自殺論』宮島喬訳、中公文庫、２０１８年／マルティン・ハイデガー『存在と時間』上巻、細谷貞雄訳、ちくま学芸文庫、１９９４年／エドガール・モラン『百歳の哲学者が語る人生のこと』澤田直訳、河出書房新社、２０２２年

【著者略歴】

小川仁志（おがわ・ひとし）

1970年、京都府生まれ。哲学者・山口大学国際総合科学部教授。

京都大学法学部卒、名古屋市立大学大学院博士後期課程修了。博士（人間文化）。商社マン（伊藤忠商事）、フリーター、公務員（名古屋市役所）を経た異色の経歴。徳山工業高等専門学校准教授、米プリンストン大学客員研究員等を経て現職。

全国各地で「哲学カフェ」を開催するなど、市民のための哲学を実践している。また、テレビをはじめ各種メディアにて哲学の普及にも努めている。NHK・Eテレ「世界の哲学者に人生相談」、「ロッチと子羊」では指南役を務めた。最近はビジネス向けの哲学研修も多く手がけている。専門は公共哲学。

著書も多く、ベストセラーとなった『7日間で突然頭がよくなる本』や『ジブリアニメで哲学する』、『不条理を乗り越える』、『前向きに、あきらめる』等をはじめ、これまでに100冊以上を出版している。YouTube「小川仁志の哲学チャンネル」でも発信中。

公式HP　http://www.philosopher-ogawa.com/

60歳からの哲学

いつまでも楽しく生きるための教養

2024年3月19日　第一刷

著　者　　小川仁志

発行人　　山田有司

発行所　　株式会社　彩図社
東京都豊島区南大塚3-24-4
MTビル　〒170-0005
TEL：03-5985-8213　FAX：03-5985-8224

印刷所　　シナノ印刷株式会社

URL：https://www.saiz.co.jp
https://twitter.com/saiz_sha

ISBN978-4-8013-0708-7 C0010